CAMPIAITH 2

Llyfr canllawiau iaith
i blant 9–11 oed

CAMPIAITH 2

Llyfr canllawiau iaith
i blant 9–11 oed

Meinir Pierce Jones

GWASG TAF

Argraffiad Cyntaf: Hydref 1996
Adargraffwyd 1997

Rhif Llyfr Safonol Rhyngwladol: 0 948469 52 8

Arlunwaith: Anthony Evans
Dylunio: Smala, Caernarfon
Argraffu: Grafiche AZ, Yr Eidal
Cyhoeddir gan Wasg Taf, Bodedern, Sir Fôn LL65 3TL

Cyflwynaf y cyfrolau hyn
i blant y teulu
- er cof am John

Diolchir i'r cyhoeddwyr am eu caniatâd caredig i gynnwys y gweithiau isod:

Detholiad allan o 'Ystalwm', *Sioned*, Winnie Parry, Honno, 1988;
Llun a dyfyniadau gan blant allan o *Children Working Underground*, R. Meurig Evans, Amgueddfa Genedlaethol Cymru, 1993;
'Tynnu fy Llun', allan o *Anifeiliaid y Maes Hefyd*, Gwyn Thomas a Ted Breeze Jones, Gwasg Dwyfor, 1993;
'Bygwth y Broga', *Y Cymro*, 24 Ionawr 1996;
'Pethau Da', *Eiliadau a Cherddi Eraill*, Gwilym R. Jones, D. Brown a'i Feibion, 1981;
Taflen *Darpariaethau Ail-gylchu yn Nwyfor*, Adran Gwasanaethau Technegol, Cyngor Dosbarth Dwyfor;
'Y Ci Strae' allan o *Penillion y Plant*, T. Llew Jones, Gwasg Gomer, 1990;
Rhan o 'Siôn Rhew', James Riordan, addaswyd gan Tegwyn Jones, allan o *Hosan Nadolig*, gol. Glenys Howells, Gwasg Gomer, 1994;
'Y Bachgen a'r Fodrwy Hud', *Lleuad yn Olau*, T. Llew Jones, Gwasg Gomer, 1989.

Rhagair

Euthum ati i baratoi'r gyfrol hon, a'i chwaer gyfrol *Campiaith 1*, ar gais gan Wasg Taf mewn ymateb i brosiect a gomisiynwyd gan Awdurdod Cwricwlwm ac Asesu Cymru. Yn unol â gofynion y cais fe ddefnyddiwyd y gyfres Saesneg *Reasons for Writing* fel patrwm ac ysbardun ar gyfer y llyfrau, ond rhaid pwysleisio fod y cyfrolau Cymraeg yn gwbl wreiddiol a newydd, a bod iddynt wedd Gymreig bendant.

Gwerslyfrau yw *Campiaith 1* a *Campiaith 2* – llyfrau i'w defnyddio gan ddisgyblion yn y dosbarth dan oruchwyliaeth athro neu athrawes. Ceir hawl llungopïo ar nifer o'r tudalennau er mwyn i'r plant allu cyflawni tasgau llenwi'r bylchau ac ati'n rhwydd a hwylus. O ran cynnwys, ceir cyfuniad o dasgau i annog gwahanol fathau o ysgrifennu (llythyr, adolygiad, pamffledyn, poster a llawer iawn mwy) a thasgau i ddatblygu sgiliau a gwybodaeth am iaith ac atalnodi. Neilltuir unedau hefyd i drafod a gwerthfawrogi gwaith awduron cydnabyddedig, yn gerddi a storïau. Trwy'r ddwy gyfrol fel ei gilydd, gwnaed ymdrech lew i wneud yr holl ddeunydd yn ddiddorol a pherthnasol i blant, ac i gynnwys dognau helaeth o hiwmor. Gall athrawon gymryd y cyfrolau o'u cwr gan weithio drwyddynt yn systematig neu ddewis a dethol o'r unedau yn union fel y mynnont.

Fe gymerodd bron i flwyddyn i gwblhau'r ddwy gyfrol yn derfynol, blwyddyn ddifyr a phrysur ar y cyfan. Ond ni allwn fyth fod wedi dod i ben o fewn y cyfnod hwnnw, hyd yn oed, oni bai am gefnogaeth sicr cyfarwyddwyr Gwasg Taf i mi gydol y daith. Diolch iddyn nhw. Dymunaf ddiolch hefyd i Ymgynghorydd y prosiect, Dr Gwyn Lewis, y Coleg Normal, am ei gymorth a'i anogaeth; i'r arlunydd Mr Anthony Evans am ei gyfraniadau bywiog; i aelodau'r Grŵp Monitro a fu'n goruchwylio datblygiad y cynllun; i'r awduron hynny y cynhwysir gwaith o'u heiddo yn y cyfrolau; i'r dylunwyr Smala am y gwaith cysodi; i staff Cyngor Llyfrau Cymru a Llyfrgell Gwynedd; ac yn olaf, ond yn sicr nid yn lleiaf, i bob ysgol a phlentyn a gyfrannodd ddeunydd. Diolch yn fawr i bawb.

Does dim ond gobeithio y caiff y cyfrolau hyn ddefnydd aml a thrwyadl yn ysgolion Cymru.

Meinir Pierce Jones
23 Mehefin 1996

Cynnwys

GWELD Y GOLAU
Taflen Adolygu

Darllenwch y stori.

Mae'r stori wedi'i seilio ar hanes creu'r byd. Darllenwch yr hanes yn Llyfr Genesis yn *Y Beibl Cymraeg Newydd*. Ceir hanes creu'r haul a'r lloer yn adnodau 14-20 yn y bennod gyntaf.

Fe welwch fod fersiwn Peredur Glyn Davies o'r stori yn hollol wahanol i'r fersiwn a geir yn *Y Beibl*.

Pa un o'r ddau yw'r mwyaf **urddasol** a **llenyddol**?
Pa un o'r ddau yw'r mwyaf **difyr** a **bywiog**?

Dyma ddisgrifiad gwyddonol o sut y crewyd yr haul. Fe'i hysgrifennwyd gan blentyn 9 oed.

Yn y dechreuad, doedd dim. Cyn y ffrwydriad enfawr. O'r ffrwydriad daeth gwreichion nwy. Tasgodd y gwreichion i wahanol rannau o'r awyr enfawr. Yng nghanol y gwreichion roedd un gwreichyn mawr yn cylchdroi. Dechreuodd y tymheredd godi nes cyrraedd pymtheg mil gradd. Gwnaeth hyn i'r gwreichyn gylchdroi'n gyflymach, felly, ymhen tipyn, 'roedd pelen o dân wedi ei ffurfio yng nghanol y gwreichyn. Âi'r belen yn fwy ac yn fwy ac felly fe grewyd haul.

Rhiannon Mair Hughes

Sut y byddech chi'n disgrifio'r fersiwn hwn - **cymhleth**, **cyffrous** ynteu **diflas**?

Mae'r adnodau, a'r stori "Gweld y Golau", a'r disgrifiad gwyddonol yn dangos ei bod yn bosibl ysgrifennu mewn gwahanol ffyrdd am yr un digwyddiad.

Rhowch gynnig ar wneud rhywbeth tebyg i hyn.

Dyma gnewyllyn stori ar eich cyfer.

Un noson roedd dad wedi gorfod mynd â'r ci at y milfeddyg ganol nos. (Nyrs oedd mam - yn gweithio shifft nos yn yr ysbyty - ward y plant).
Roedd dad wedi gadael Guto a Gwenno gartref yn y gwely. Deffrôdd Gwenno'n sydyn.
Roedd rhywbeth mawr yn bod......

1 Ysgrifennwch **erthygl bapur newydd** fer am y digwyddiad (gw. Bygwth y Broga).

2 Ysgrifennwch **ddyddiadur** Gwenno neu Guto y diwrnod ar ôl y digwyddiad.

3 Ysgrifennwch **ddrama fer** am y digwyddiad. Dyma ddechrau posibl i chi:

<u>Gwenno:</u>	Hei, Guto, deffra. Mae rhywbeth yn bod.
<u>Guto:</u>	Beth? Paid â bod yn ddwl. Cer 'nôl i gysgu.
<u>Gwenno:</u>	Dwy i ddim yn tynnu dy goes di, wir nawr.
<u>Guto:</u>	O, na? SAIB. Hei, aros!
<u>Gwenno:</u>	Beth sy'n bod?
<u>Guto:</u>	Ssh. Gwrando.

EWCH ATI I FYNEGI BARN!

Darllenwch y stori eto, ar eich pen eich hun, gyda phartner, mewn grŵp, neu fel dosbarth gyda'ch athro.

Ar ôl darllen y stori, a'i thrafod, ewch ati i ysgrifennu adolygiad byr o'r stori.

Defnyddiwch rai neu'r cyfan o'r geiriau a'r ymadroddion hyn yn eich adolygiad. Gallwch roi tic neu groes wrth eu hymyl ar ôl eu defnyddio.

Trafodwch y geiriau a'r ymadroddion gyda'ch athro cyn dechrau ysgrifennu.

Pwnc y stori hon yw ....   **hoff gymeriad**   **doniol**   **Fe wnes i fwynhau ......**

ffeithiol/dychmygol   **hanes y creu**   **Yn fy marn i .....**

y rhan orau o'r stori gen i ....   **Ar y cyfan ....**   **y diweddglo.**

GWELD Y GOLAU

Ac ar un adeg, darllenydd parchus, nid oedd y fath beth â haul. Yr oedd dynion felly wedi dyfeisio tân i weld, gan ei bod hi'n dragwyddol dywyllwch. Ac yr oedd hi hefyd yn dra gwahanol i'n byd ni heddiw, ddarllenydd parchus, gan mai cynnig cyntaf Duw ydoedd, ac nid oedd wedi perffeithio dyn nac anifail eto.

A phan welodd Duw'r tân, gwelodd mai dinistr ydoedd, ac felly, cymerodd fflam o goelcerth dyn yn ei law, a chwythodd arno, nes ei fod yn fawr a llachar, ac fe'i gosododd y tu ôl i'r mynydd, a'i godi'n araf. A bydded hyn yn ffordd arall i ddyn gael golau.

Ac yn digwydd bod, yr oedd yna Gi yn gorffwys ar graig, a phan ddaeth y golau llachar i agor ei lygaid, gwelodd y golau, a hoffodd y golau, a meddai wrtho'i hun (gan fod anifeiliaid, ddarllenydd parchus, ar y pryd hwnnw, yn medru Cymraeg, am y rheswm syml mai Cymraeg oedd yr unig iaith p'run bynnag); "Beth yw'r golau hwn a welaf yn yr awyr? Mae'n goleuo'r ddaear i gyd! Nid tân ydyw, mae'n rhy llachar. O, mor dda yw'r golau hwn! Rhaid i mi fynd i ddweud wrth y Meistr!"

A chododd ar ei ddwy droed ôl - fel y gwnâi pob ci yr adeg honno - a dechreuodd redeg tuag at dŷ ei Feistr, y dyn.

Ac fe hedfanodd Cath heibio, a gofynnodd i'r Ci;
"Gi, pam yr wyt yn mynd mor gyflym tuag at dŷ'r Meistr?"
Ac atebodd y Ci;
"Gath, oni weli di'r golau mawr yn yr awyr? Y mae'n goleuo'r ddaear! Rwy'n mynd i hysbysu'r Meistr."
Ac aeth ymaith yn gyflym gan adael y Gath i synfyfyrio ac i ryfeddu.

Ac aeth ymlaen ac yna cyfarfod wnaeth â Physgodyn a ymddangosodd o dwnel yn y ddaear, a gofynnodd i'r Ci;
"Gi, gwelaf di'n carlamu tua'r Meistr gyda'th wynt yn dy bawen! Pam yr holl frys?"
Ac atebodd y Ci;
"Bysgodyn, mae golau mawr y tu ôl i'r mynydd acw, ac mae'n taflu golau dros y ddaear! Rwy'n mynd ar frys i ddweud wrth y Meistr."
A brysiodd y Ci ymaith mor gyflym ag y gallai, gan adael y pysgodyn i dyrchu ac i bendroni.

Toc daeth y Ci at Eliffant oedd yn nofio brest strôc mewn pwll o ddŵr, a stopiodd yr Eliffant ef a gofyn;
"Gi, pam yr wyt yn brysio gymaint? Ydy dy gynffon ar dân?"
Ac atebodd y Ci;
"Nac ydy, Eliffant, ond mae'r awyr! Mae yna olau mawr yn hofran yn y nen, ac mae'n goleuo'r wlad! Rwy'n mynd i ddweud wrth y Meistr!"
Ac ymaith aeth y Ci ar wib, gan adael yr Eliffant i ymdrochi ac i ystyried.

Ac o'r diwedd cyrhaeddodd y Ci at y Meistr, a oedd wrthi'n sgubo'r llyn, a galwodd y Ci arno dan gyfarth -
"Meistr! Meistr! Dewch ar eich union!"
A cherddodd y Meistr draw ato, a gofyn;
"Beth sydd, Gi? Mae rhywbeth yn dy boeni. Dywed wrthyf ac fe'th helpaf."
Ac meddai'r Ci, gan foesymgrymu'n ddwfn;
"Feistr, y mae yna olau mawr yn y nen, y tu ôl i'r mynydd mawr, ac mae'n goleuo'r ddaear i gyd! Da yw'r golau, o Feistr, ond nid tân ydyw. Dewch i'w weld!"
Ac fe aeth y Meistr i'w dŷ, a nôl ei ffagl, ac aeth i ddilyn y Ci.

Roedd hi nawr gryn oriau ers i'r Ci weld y golau, ac roedd Duw wedi blino, ac felly fe benderfynodd gadw'r golau am ychydig a gorffwys.

A phan gyrhaeddodd y Ci a'r Meistr y fan, gwelsant fod y golau mawr yn dechrau mynd.

"Gyflym, Feistr!", cyfarthodd y Ci; "Mae'r golau yn prysur ddiflannu! Beth allwn ni ei wneud?"

Gweithiodd meddwl y Meistr yn chwim, ac yna galwodd allan;

"Greaduriaid y ddaear, dewch ataf! Dewch ataf i weld ac i achub y golau!"

Ac ar unwaith, fe ddaeth y Gath o'r awyr; y Pysgodyn o'r ddaear; yr Eliffant o'r pwll; yr Arth o'r goeden; y Neidr o'r afon; y Carw o'i nyth, a phopeth o bobman i ateb gorchymyn y Meistr. Ac fe ddaethant i eistedd o'i amgylch ac fe ddywedasant mewn un llais;

"Feistr, beth allwn ni ei wneud i'th helpu?"

Ac atebodd y Meistr yn frysiog;

"Anifeiliaid, gweithiwch ar frys; casglwch gydai'i gilydd frigau a choed a gwellt i wneud tân anferth. Rhaid inni wneud y fflamau gyrraedd y golau yn yr awyr, fel ei fod yn cael ei ail-gynnau!"

Ac fe aeth yr anifeiliaid a chyn bo hir roedd yna fynydd o frigau a choed ac o wellt; ac yna, fe gymerodd y Meistr ei ffagl, a thanio gwaelod y twmpath. Saethodd fflam i fyny'r Goelcerth, ac ymhen ychydig amser roedd tân a gwreichion yn neidio i fyny i'r awyr.

Ac fe ddawnsiodd y Meistr a'r holl anifeiliaid o amgylch y Goelcerth, gan brocio'r tân fel ei fod yn codi'n uwch ac yn uwch. Ond roeddent yn rhy fyrbwyll, ddarllenydd parchus, ac wrth gwrs, pan yr ydym yn rhy fyrbwyll, mae pethau drwg yn siwr o ddigwydd. Ac yn wir, fe ddigwyddodd un fflam neidio'n uchel iawn, a tharo Duw ar Ei dalcen; ac fe wnaeth Ef, yn ei wylltineb a'i boen, alw ar gorwynt i sgubo'r ddaear. Ac, yn wir, fe ddaeth gwynt aruthrol, a lladdwyd y Meistr, a'r Ci, a'r Gath, a'r Eliffant, a'r Pysgodyn, a phob creadur arall, nes fod yna ddim ond llwch a gweddillion y goelcerth ar ôl.

Ac yna sylweddolodd Duw ei gamgymeriad, ac felly cymerodd y golau o'i gôt, a'i hongian ar un o'r sêr, i fedru gweld beth ydoedd yn ei wneud. Ac yna, gafaelodd gyda'i fys a'i fawd ronynnau o'r lludw a'r ulw oedd ar ôl o'r Goelcerth, ac yn ei ddwylo tyner, lluniodd belen arall allan o'r lludw. Ac fe'i gosododd wrth ymyl y belen o olau, i hongian yno.

A galwodd y golau yn Haul
A galwodd y belen yn Lleuad.

A gwelodd Duw mai da ydoedd. Da iawn.

Peredur Glyn Cwyfan Davies (14 oed)

SGWRS NEU DDWY
Dyfynodau

Rhaid defnyddio **dyfynodau (marciau siarad "fel hyn")** bob tro mae **cymeriad yn siarad** mewn stori, dyddiadur, darn ffeithiol, erthygl neu unrhyw waith ysgrifennu arall.

"Mam, pam ydych chi'n plannu'r bylbie 'na yn yr ardd?" gofynnodd Rhisiart yn fusneslyd.
"Wel, er mwyn i'r mwydod gael digon o ole, siŵr iawn," atebodd ei fam.

"Pwy sy'n dod ag anrhegion Nadolig i benbyliaid?" gofynnodd Rhys.
"Dim syniad," meddai Gwyn, ei ffrind. "Pwy?"
"Llyffanta Clos," atebodd Rhys.

Mae'r bobl hyn i gyd wedi bod yn ffair Porthcawl (neu'r Marine Lake yn y Rhyl). Beth wnaethon nhw? Adroddwch chi'r hanes.

"Mi fûm i ar y rolercoster dair gwaith!" meddai Nain.

"Mi enillais i dedi bêr mawr melyn wrth chwarae bingo," meddai Dad.

Nawr dilynwch y patrwm hwn. Defnyddiwch ddyfynodau ym mhob brawddeg. Gweithiwch gyda phartner.

.....................................chwarddodd Emyr.

.....................................cwynodd Mam.

.....................................meddai Marion.

.....................................meddai Wan.

.....................................gyrglodd y babi.

.....................................cyfarthodd Popsi.

Bydd **llythyren fawr** yn y gair cyntaf o fewn dyfynodau fel rheol.

"**M**ae pris lolipops wedi codi, rwy'n ofni," meddai gwraig y siop.
"**Fe** ganwn ni'r anthem yn awr," meddai'r prifathro ar
ddiwedd y cyngerdd.

Bydd **atalnod llawn, coma, gofynnod (marc cwestiwn)** neu **ebychnod** cyn
yr ail ddyfynod fel arfer.

"**W**yt ti'n hoffi teisen siocled, Jac y Jwc?" gofynnodd Sali Mali.
"**D**im chwarae pêl-droed yn y dosbarth!" bloeddiodd Mr Roberts.
"**M**ae caffi bwyd cyflawn ar fin agor yn ein stryd ni," meddai Bendigeidfran.
"**B**eth sy'n bod, Gwenan?" "**R**wy i wedi colli f'arian pen blwydd bob dimai."

▌ Rhowch **ddyfynodau** i mewn bob tro mae cymeriad yn siarad yn y pennill.
Rhowch **ebychnod, coma, gofynnod** neu **atalnod llawn** cyn yr ail ddyfynod bob tro.

Rwy i wedi rhoi'r llythrennau mawr yn barod i chi!

Ddoi di i'r mynydd meddai modryb y fawd,
Beth wnawn ni yno meddai bys yr uwd
Hela defaid meddai'r hirfys
Beth os cawn ein dal meddai'r cwtfys,
Rhedeg, rhedeg, rhedeg meddai Robin gewin
bach

2 Darllenwch y stori'n ofalus yna ewch ati i roi
dyfynodau yn y man cywir.
Cofiwch roi **coma, atalnod llawn, gofynnod**
neu **ebychnod** cyn yr ail ddyfynod bob tro.
Gweithiwch gyda phartner.

**Brysia Siân gwaeddodd Mam o waelod y
grisiau. Mae'r postmon wedi dod â pharsel
anferth i ti
Carlamodd Siân i lawr y grisiau fel ebol
blwydd
Beth yw e gofynnodd Siân Llyfr neu
degan
Does gen i ddim syniad atebodd Mam
Bydd rhaid i ti ei agor e
Brysiodd Siân i'r gegin a dechrau
dadlapio'r parsel yn awchus
O, Mam, edrych ebychodd Siân mewn
rhyfeddod
Wel am ferch lwcus meddai Mam Pwy
anfonodd e i ti Oes llythyr yn y parsel
Nac oes Dim un gair meddai Siân yn syn
Dyna od, yntê
Od iawn meddai Mam yn dawel Od iawn,
iawn**

Rhowch gynnig ar orffen y stori.
Beth oedd yn y parsel? A phwy oedd wedi'i anfon
i Siân?

HEN BENNILL NEWYDD
Sillaf ac Odl

Dyma **hen bennill**. Wyddom ni ddim pwy yw'r bardd a ysgrifennodd y pennill. Wyddom ni ddim chwaith pa bryd y cafodd y pennill ei ysgrifennu, ond mae'n sicr o fod yn gannoedd o flynyddoedd oed.

Ambell dro bydd hen benillion yn cael eu galw'n **benillion telyn**. Y rheswm am hynny yw fod pobl yn arfer canu'r penillion hyn i gyfeiliant telyn. Byddai pobl ers llawer dydd yn medru llawer o'r penillion hyn ar eu cof.

**Tros y môr mae adar duon
Tros y môr mae dynion mwynion
Tros y môr mae pob rhinweddau
Tros y môr mae nghariad innau.**

Ystyr "mwynion" yw addfwyn neu glên!

Beth yw Sillaf?

Gair neu ran o air sy'n cynnwys un trawiad yw **sillaf**.
Mae sillaf bob amser yn cynnwys **llafariad (a, e, i, o, u, w, y)**.

môr	Mae **môr** yn cynnwys **un** sillaf:	môr
halen	Mae **halen** yn cynnwys **dwy** sillaf:	hal-en
gofodwr	Mae **gofodwr** yn cynnwys **tair** sillaf:	gof-od-wr

Sawl **sillaf** sydd yn y geiriau hyn?

parti.....	pig.....	Nadolig.....
adenydd....	gwers.....	siglen....
rhinoseros....	bara......	cyffredin.....

Edrychwch eto ar yr hen bennill.
Rhifwch sawl sillaf sydd ym mhob llinell.

Gallwch gopïo a rhannu'r llinellau yr un fath â'r llinell gyntaf hon:

Tros y môr mae ad-ar du-on   Nifer y sillafau: 8
Tros y môr mae dynion mwynion   Nifer y sillafau:
Tros y môr mae pob rhinweddau   Nifer y sillafau:
Tros y môr mae nghariad innau.   Nifer y sillafau:

Beth yw Odl?

Geiriau'n gorffen gyda'r un llythrennau a'r rheiny'n creu'r un sŵn, dyna yw odl.

Mae **môr** yn odli gyda **côr, stôr, dôr.**
Mae **halen** yn odli gyda **meipen, Gwen, Caren.**
Mae **gofodwr** yn odli gyda **trydanwr, clerigwr, pysgotwr.**

Allwch chi feddwl am ragor? Deinosor!

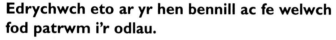

Does dim rhaid dweud wrth blant clefar fel chi fod geiriau byr yn gallu odli gyda rhai hir!
Beth am **clo** a **bolaheulo**? Neu beth am **bat** a **twmffat**?

**Edrychwch eto ar yr hen bennill ac fe welwch
fod patrwm i'r odlau.**

Dyma sut y bydd patrwm odli yn cael ei nodi:

Tros y môr mae adar du**on**	**a**
Tros y môr mae dynion mwyn**ion**	**a**
Tros y môr mae pob rhinwedd**au**	**b**
Tros y môr mae nghariad inn**au**	**b**

EWCH ATI!

Rhowch gynnig ar lunio eich hen bennill (newydd sbon!) eich hun ar batrwm 'Tros y môr ...'

Mae llinell gyntaf newydd sbon danlli'n barod ar eich cyfer!

Tros y môr mae traethau melyn
Tros y môr mae ....
Tros y môr mae ....
Tros y môr mae ....

Cofiwch am y patrwm odli, da chi!

Glywsoch chi hon?

Bûm yn byw yn gynnil, gynnil
Aeth un ddafad imi'n ddwyfil,
Bûm yn byw yn afrad afrad
Aeth y ddwyfil yn un ddafad.

Aeth fy Ngwen i ffair Pwllheli,
Eisiau padell bridd oedd arni,
Rhodd amdani chwech o syllte,
Costiai gartre ddwy a dime.

Derfydd aur a derfydd arian,
Derfydd melfed, derfydd sidan,
Derfydd pob dilledyn helaeth,
Eto er hyn ni dderfydd hiraeth.

Y deryn du a'i blyfyn shitan,
A'i big aur a'i dafod arian,
A ei di drosto'i i Gydweli
I holi hynt y ferch rwy'n garu.

Gwyn eu byd yr adar gwylltion
Hwy a gânt fynd y ffordd a fynnon',
Rhai tua'r môr a rhai tua'r mynydd,
A dŵad adref yn ddigerydd.

Ar ben Waun Tredegar mae eirin a chnau,
Ar ben Waun Tredegar mae 'fale ym mis Mai,
Ar ben Waun Tredegar mae ffrwythau o bob rhyw,
Ar ben Waun Tredegar mae 'nghariad i'n byw.

Sioni Brica Moni
Yn berchen buwch a llo
A gafr fach a mochyn
A cheiliog, go-go-go!

Bachgen bach o Felin-y-wig,
Welodd o 'rioed damaid o gig;
Gwelodd falwen ar y bwrdd,
Cipiodd ei gap a rhedodd i ffwrdd.

Y DDAMWAIN
Mynegi Safbwynt

Craffwch yn ofalus ar y llun.

Mae o leiaf bump o bobl yn y llun yn gwneud pethau ffôl a pheryglus.
Trafodwch mewn grwpiau ac yna gwnewch restr o bwy ydynt a beth maent yn ei wneud.

Pa reolau y byddech chi'n eu gosod yn y stryd hon er mwyn arbed rhag damweiniau yn y dyfodol?
Lluniwch restr gryno a'i glynu ar lungopi o'r ddamwain.

Nawr dychmygwch mai chi yw gyrrwr y fan yn y llun.

Ysgrifennwch yr hanes gan ddechrau gyda'r geiriau:

"Rhad ras! Mae 'na ffyliaid yn yr hen fyd 'ma...."

EWCH ATI!
Trafodwch mewn grwpiau sut y byddai'r bobl ganlynol yn adrodd yr hanes am y ddamwain:
perchennog y ci;
y beiciwr;
y lonciwr;
gyrrwr y car yng nghanol y llun;
y dyn wrth y bwth ffôn.

Yna **ewch ati** i adrodd yr hanes ar lafar neu ei actio.

O BEDWAR BAN Y BYD
Storïau Tramor

Dyma syniadau am storïau wedi eu lleoli mewn amryw wledydd.
Gallwch ddefnyddio'r syniadau i greu storïau hwyliog a gwahanol.

Efallai y bydd rhaid i chi wneud ychydig o waith **ymchwil** i ddarganfod beth yw rhai o'r pethau uchod
Defnyddiwch lyfrau o'r llyfrgell – llyfrau gwybodaeth a mapiau.
Gwnewch nodiadau bras mewn pensil rhag i chi anghofio.

EWCH ATI!
Rhowch gynnig ar greu cwd stori fel hyn eich hunan.

CYMRU

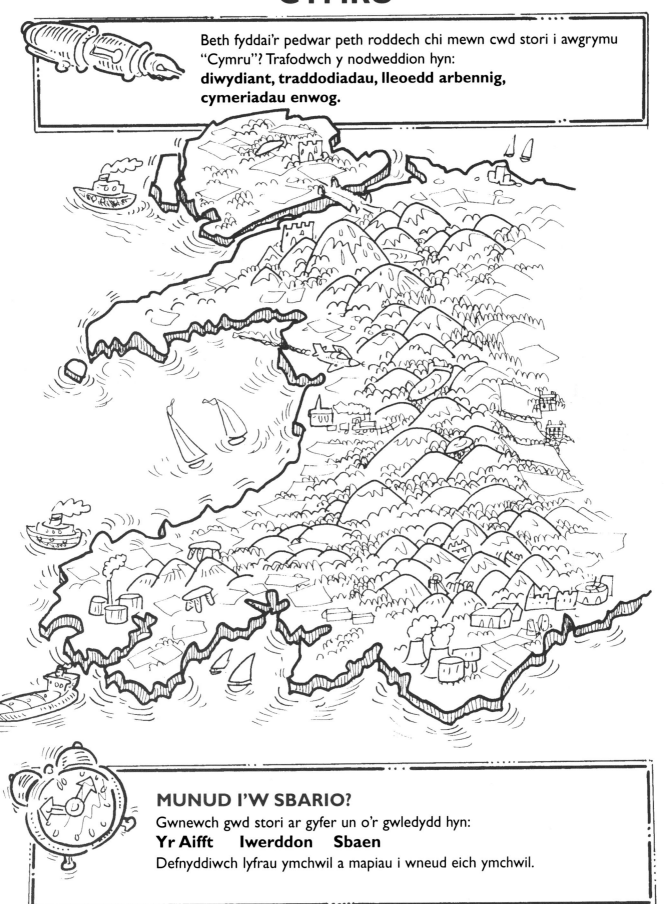

Beth fyddai'r pedwar peth roddech chi mewn cwd stori i awgrymu "Cymru"? Trafodwch y nodweddion hyn:
diwydiant, traddodiadau, lleoedd arbennig, cymeriadau enwog.

MUNUD I'W SBARIO?
Gwnewch gwd stori ar gyfer un o'r gwledydd hyn:
Yr Aifft   Iwerddon   Sbaen
Defnyddiwch lyfrau ymchwil a mapiau i wneud eich ymchwil.

GWISGOEDD
Disgrifio'n Fanwl a Chywir

Edrychwch ar y bobl hyn.
Oes rhywbeth yn arbennig ynglŷn â hwy?
Craffwch yn ofalus ar eu gwisgoedd.

Pam mae'r heddlu yn gwisgo gwisg unffurf, neu iwnifform?
Oes rhagor nag un rheswm, tybed?

Oes yna enw ar wisg y llawfeddyg?
Pam mae'n gwisgo menig a chap?

Sut y byddech chi'n disgrifio dillad y mynyddwr?
Beth yw pwrpas yr harnes?

Pam mae'r sglefrwraig hon yn gwisgo fel hyn?
Beth sydd ganddi am ei thraed?

Dewiswch un o'r gwisgoedd uchod a disgrifiwch hi'n fanwl mewn brawddegau llawn.

Cofiwch sôn am y pethau hyn: siâp, lliw a deunydd y wisg, a pham ei bod yn addas ar gyfer y person sy'n ei gwisgo.

EWCH ATI!

Dychmygwch eich bod yn gynllunydd dillad enwog.

Rydych yn derbyn comisiwn i gynllunio
UN AI
git newydd ar gyfer unrhyw dîm pêl-droed o'ch dewis;
NEU
wisgoedd newydd ar gyfer y cwmni dawnsio disgo 'Ias Las'.

Gweithiwch gyda phartner.

YN GYNTAF: Gwnewch lun o'r wisg rydych am ei chynllunio, ac yna cadwch ef o'r golwg. Nawr disgrifiwch y wisg mewn brawddegau llawn.

lliw? steil? hyd? siâp y gwddf? deunydd? rhywbeth arall?

WEDYN: Ffeiriwch eich disgrifiad gydag aelod arall o'r dosbarth. Bydd ef (neu hi) yn gwneud llun o'ch gwisg **yn union fel rydych chi wedi'i disgrifio** mewn geiriau.

Gwnewch lun **manwl gywir** o'r wisg mae eich partner wedi'i disgrifio.

NAWR!: Dangoswch eich llun i'ch partner. Cymharwch gyda'i lun ef neu hi. Ydy'r gwisgoedd yn debyg?

Oedd angen i chi newid eich disgrifiad?
Oeddech chi wedi anghofio dweud rhywbeth pwysig?

MUNUD I'W SBARIO?

Gwnewch lyfr dosbarth yn cynnwys yr holl luniau a disgrifiadau o'r gwisgoedd disgo a phêl-droed.
Gludwch y lluniau gyferbyn â'r gwisgoedd.

PARAGRAFFAU MEWN STORI
Sut i Baragraffu mewn Storïau

Dyma ran gyntaf y stori "Siôn Rhew".
Pa fersiwn yw'r hawsaf i'w darllen. Allwch chi ddweud pam?

Amser maith yn ôl roedd 'na hen ŵr yn byw gyda'i ail wraig. Roedd gan y ddau ohonynt ferch. Rhoddai'r wraig bob maldod i'w merch ei hun, a oedd yn ddiog ac yn ddrwg ei hwyl, ond roedd hi'n gas ac yn flin wrth ei llysferch. Byddai merch yr hen ŵr yn gorfod codi cyn toriad gwawr i dendio'r gwartheg, nôl y coed tân, cynnau'r stôf a sgubo'r llawr. Ac eto byddai ei llysfam yn gweld bai ar bopeth a wnâi, a grwgnachai arni drwy'r dydd golau. Mae hyd yn oed y gwynt gwylltaf yn gostegu gydag amser, ond nid oedd tawelu ar yr hen wraig unwaith y câi ei chyffroi. Ni fyddai'n fodlon hyd nes byddai wedi gyrru'r ferch druan o'r tŷ. "Mae'n rhaid i ti gael gwared arni," meddai wrth ei gŵr un diwrnod. "Alla i ddim dioddef ei gweld hi mwyach. Gyrra hi i'r goedwig a gadawa hi yn yr yr eira." Bu'r hen ŵr yn ymbil arni'n hir ond ei wraig a gâi'r gair olaf bob tro. Felly, un bore oer, gerwin, harneisiodd ei geffylau wrth y sled a galwodd ar ei ferch. "Tyrd, 'merch i, ryden ni'n mynd am dro. Dringa i'r sled."

Amser maith yn ôl roedd 'na hen ŵr yn byw gyda'i ail wraig. Roedd gan y ddau ohonynt ferch. Rhoddai'r wraig bob maldod i'w merch ei hun, a oedd yn ddiog ac yn ddrwg ei hwyl, ond roedd hi'n gas ac yn flin wrth ei llysferch.

Byddai merch yr hen ŵr yn gorfod codi cyn toriad gwawr i dendio'r gwartheg, nôl y coed tân, cynnau'r stôf a sgubo'r llawr. Ac eto byddai ei llysfam yn gweld bai ar bopeth a wnâi, a grwgnachai arni drwy'r dydd golau.

Mae hyd yn oed y gwynt gwylltaf yn gostegu gydag amser, ond nid oedd tawelu ar yr hen wraig unwaith y câi ei chyffroi. Ni fyddai'n fodlon hyd nes byddai wedi gyrru'r ferch druan o'r tŷ.

"Mae'n rhaid i ti gael gwared arni," meddai wrth ei gŵr un diwrnod. "Alla i ddim dioddef ei gweld hi mwyach. Gyrra hi i'r goedwig a gadawa hi yn yr yr eira."

Bu'r hen ŵr yn ymbil arni'n hir ond ei wraig a gâi'r gair olaf bob tro. Felly, un bore oer, gerwin, harneisiodd ei geffylau wrth y sled a galwodd ar ei ferch.

"Tyrd, 'merch i, ryden ni'n mynd am dro. Dringa i'r sled."

Mae'r fersiwn uchod wedi ei rannu'n baragraffau.

Mae **paragraff newydd** ar gyfer pob **cam** neu **ddatblygiad** yn y stori.
Mae **paragraff newydd** bob tro mae **cymeriad yn siarad**.

Dyma gyngor diogel ynglŷn â pharagraffau:

"Mae paragraffau'n gwneud stori'n haws ei darllen. Mae'n edrych filgwaith gwell."

"Rhowch baragraff bob tro mae rhywbeth newydd yn digwydd yn y stori."

"Fe fydda i'n credu fod rhoi paragraff i ddisgrifio pob cymeriad yn syniad ardderchog dros ben."

"Dyma'r RHEOL AUR - paragraff newydd bob tro mae rhywun yn siarad!"

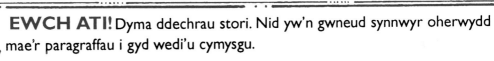

EWCH ATI! Dyma ddechrau stori. Nid yw'n gwneud synnwyr oherwydd mae'r paragraffau i gyd wedi'u cymysgu.

Gweithiwch mewn parau. Trafodwch y stori yn ofalus gan nodi trefn gywir y paragraffau **mewn pensil.** Yna cydweithiwch i osod y paragraffau yn y drefn gywir.

"Nac ydw," meddai hi. "Fy mag llaw i sy ar goll. Mae'n harian ni a'r trwyddedau teithio a'r tocynnau ynddo. Popeth! Bydd rhaid i ni ganslo'r gwyliau."

Neidiodd i'w ddillad a rhedeg i lawr y grisiau i'r gegin. Ond safodd yn stond pan welodd ei fam yn eistedd wrth y bwrdd a golwg ddigalon arni.

Fel fflach, cofiodd Dyfan ei fod wedi gweld Luned, ei chwaer fach, yn chwarae gyda bag llaw Mam yn y llofft sbâr y noson cynt.

Canodd y cloc larwm yn uchel. Drring! Sbonciodd Dyfan o'i wely heb oedi. Roedd hi'n ddiwrnod arbennig oherwydd heddiw roedd y teulu'n mynd ar wyliau i Lanzarote.

"Be sy'n bod, Mam?" gofynnodd. "Wyt ti'n sâl?"

"Dim ffiars o beryg," atebodd Dyfan. "Tyrd brysia! Fe helpa i di i chwilio amdano fo. Er, does gen i ddim syniad ble i ddechrau chwilio."

Rhowch gynnig ar orffen y stori yn eich geiriau eich hun.
A ddaeth Dyfan o hyd i'r bag llaw mewn pryd?
A gawson nhw fynd ar wyliau i Lanzarote?
COFIWCH! Mae angen paragraff newydd bob tro mae rhywun yn siarad.
Mae angen paragraff newydd ar gyfer pob cam ymlaen yn y stori.

ATALNODI GYDAG ATALNOD
Yr Atalnod (coma)

Mae'r atalnod yn atalnod defnyddiol iawn. Dyma rai o'r adegau pan gaiff ei ddefnyddio.

Defnyddir atalnod wrth ysgrifennu rhestr. Rhoddir atalnod rhwng pob peth sydd ar y rhestr.

"Mi gefais i datws, moron, selsig, grefi, hufen iâ, jeli ac andros o ysgytlaeth i ginio."

"Fy hoff chwaraeon yw rownderi, pêl-droed, tenis, pêl-foli, hoci iâ, criced, badminton a rygbi."

Rwy'n dy garu di, Hanna Haf!

Rwy'n dy gasáu di, Albyrt Puw!

Defnyddir atalnod o flaen neu ar ôl enw cymeriad sy'n cael ei gyfarch mewn sgwrs.

Ambell dro os bydd brawddeg yn hir, byddwn yn rhoi atalnod rywle tua'r canol (ar ôl **a, ac, ond, wedyn, yna**) er mwyn cael **saib bach**.

Mi fu plant ein dosbarth ni ar wibdaith ddoe, ac fe gawsom ni bicnic yng ngerddi Castell Caerffili.

Mae Liam yn hoffi darllen nofelau tew, ond mae'n well gen i ddarllen comigs!

Darllenwch y stori hon yn ofalus gan roi **atalnod** i mewn bob tro y mae angen un.

Mae chwech o blant Blwyddyn 5 yn byw ar ein stâd ni sef Eilyr Siwsan Jim David Megan a fi. Rydym yn galw'n hunain yn Giang Glyfar a byddwn yn cael miloedd o sbort ar ein beiciau ac yn y den. Byddwn yn mynd o gwmpas pob stryd yn y stâd yn arbennig Ffordd y Brython Ffordd Hen Efail Lôn Wyddfid a Lôn Coed Celyn i chwilio am hen geriach i'w rhoi yn y den. Roedd Megan a finnau'n reidio o gwmpas ar ein beiciau ddydd Sadwrn a dyma ni'n gweld y bachgen newydd yn syllu arnom ni. Sefyll wrth giât ei dŷ roedd o. Rhys ydi'i enw fo.

"Gaf i ymuno efo'r giang Megan?" gofynnodd. "Mae gen i feic pêl-droed stôf bicnic rhaff ac inc anweledig."

"Na chei," atebodd Megan. "Sori."

"Gaf i ymuno â'r giang Cari?" gofynnodd i mi. "Mae gen i ysbïenddrych. Mi wna i fod yn ysbïwr i chi."

"Dim diolch," meddwn i. "Does dim angen ysbïwr arnon ni Rhys. Does gennyn ni ddim gelynion."

"Oes mae gennych chi elynion peryglus iawn," meddai Rhys. "Rydw i wedi bod yn eu gwylio nhw. Maen nhw am eich gwaed chi."

Edrychodd Megan a minnau ar ein gilydd am hanner eiliad.

"Croeso i'r Giang Glyfar Rhys," meddai'r ddwy ohonom fel un gan edrych yn bryderus dros ein hysgwyddau.
Gelynion?

Cofiwch fod yn ofalus gyda'r **atalnodau** yna!

Roedd angen **14 atalnod** i gyd. Gawsoch chi'r cyfan ohonynt?
Ewch yn ôl i chwilio eto os ydych yn brin.

YMLAEN Â CHI

Gallwch barhau â'r stori hon.
Beth ddigwyddodd nesaf?
Pwy oedd gelynion y Giang Glyfar?
Sut ysbïwr oedd Rhys?

ENWAU ETO
Rhagor am Enwau

Mae enw ar bawb a phobman a phopeth. Mae hynny'n gwneud bywyd yn llawer iawn haws!

Beth yw enwau'r pethau hyn?

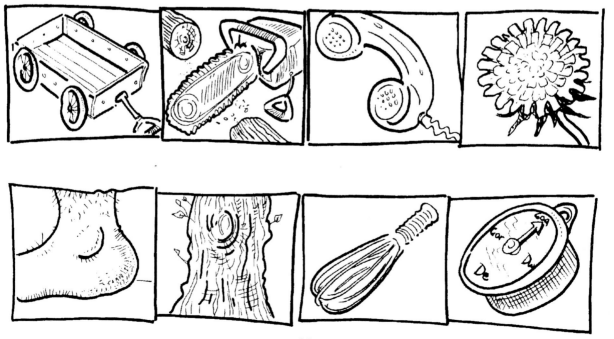

GWYBODAETH BWYSIG IAWN!

Mae pob enw yn **wrywaidd** (fo/fe) neu'n **fenywaidd** (hi).

Enwau gwrywaidd

Gallwn roi **hwn** neu **hwnnw** ar ôl enw **gwrywaidd**:

y bwrdd **hwn**, y gwely **hwn**, y glo **hwn**, y car **hwn**, y llyfr **hwn**, y diwrnod **hwnnw**, y bachgen **hwnnw**, y tro **hwnnw**, yr eliffant **hwnnw**

Gwnewch restr hir o eiriau gwrywaidd gan roi **hwn/hwnnw** ar ôl pob un ohonynt.

Enwau benywaidd

Gallwn roi **hon** neu **honno** ar ôl enwau **benywaidd**:

y goedwig **honno**, y sgert **honno**, y flwyddyn **honno**, y gadair **hon**, y ferch **honno**, y gath **honno**, y rhaglen **honno**, yr awr **honno**

Gwnewch restr hir o enwau benywaidd gan roi **hon/honno** ar ôl pob un ohonynt.

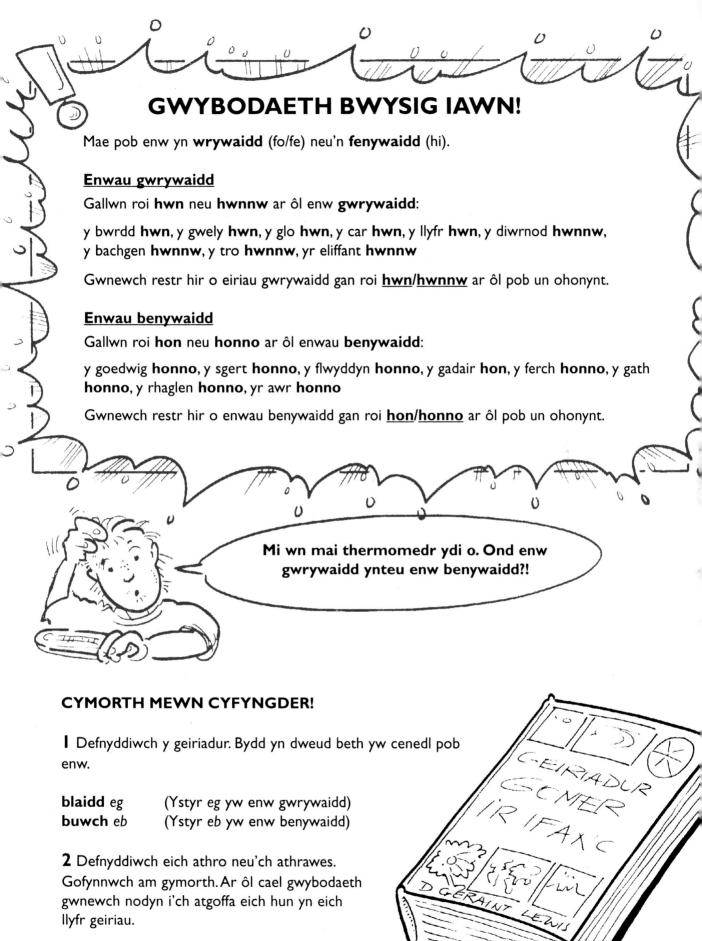

Mi wn mai thermomedr ydi o. Ond enw gwrywaidd ynteu enw benywaidd?!

CYMORTH MEWN CYFYNGDER!

I Defnyddiwch y geiriadur. Bydd yn dweud beth yw cenedl pob enw.

blaidd *eg*   (Ystyr *eg* yw enw gwrywaidd)
buwch *eb*   (Ystyr *eb* yw enw benywaidd)

2 Defnyddiwch eich athro neu'ch athrawes. Gofynnwch am gymorth. Ar ôl cael gwybodaeth gwnewch nodyn i'ch atgoffa eich hun yn eich llyfr geiriau.

3 DAU YNTEU DWY?

Cofiwch am **dau** a **dwy.**

Dau sy'n dod o flaen enw **gwrywaidd**:
dau gi
dau ddyn
dau berfformiad
dau gartŵn

Dwy sy'n dod o flaen enw **benywaidd**:
dwy wraig
dwy dorth
dwy awyren
dwy fraich

4 Defnyddiwch eich clustiau.
Gwrandewch ar bobl hŷn yn siarad.
Clustfeiniwch ar eich mam-gu neu'ch
taid neu'r hen wraig drws nesaf. Holwch
bobl mewn oed beth maen nhw'n ei
ddweud: y .... hwn/hon?

Geiriau'n
dechrau
gyda:

p .... b
t .... d
c .... g
m........... f
b .... f
d .... dd
g .... colli'r
llythyren
gyntaf

5 Y TREIGLADAU

Cofiwch fod rhai **enwau benywaidd** yn newid ar ôl **y/yr.**

potel	**y b**otel	blwyddyn	**y f**lwyddyn
teisen	**y d**eisen	deilen	**y dd**eilen
cadair	**y g**adair	geneth	**yr** eneth
mainc	**y f**ainc		

Dyma dabl i ddangos y treiglad hwn:

34

TRYSOR Y GENEDL

Cymraeg y Beibl Ddoe a Heddiw

Yn 1588 fe gafodd y cyfieithiad Cymraeg cyflawn cyntaf o'r Beibl ei gyhoeddi. Y gŵr a fu'n gyfrifol am y gwaith enfawr o gyfieithu'r Beibl o Hebraeg a Groeg i'r Gymraeg oedd yr Esgob William Morgan. Defnyddiodd yr Esgob William Morgan iaith gywrain ar gyfer ei gyfieithiad, nid Cymraeg llafar na thafodiaith ond Cymraeg safonol ac urddasol. Gwnaeth hyn er mwyn i bawb drwy Gymru benbaladr allu deall iaith y Beibl.

Dyma lun o wyneb-ddalen Beibl 1588.

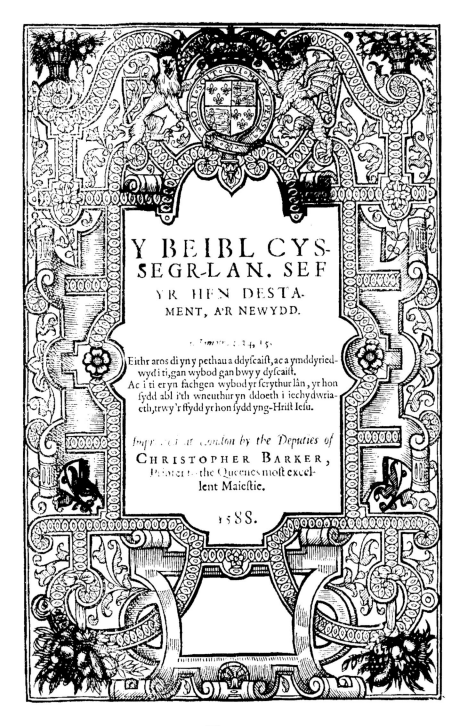

Dyma ran fach iawn o gyfieithiad William Morgan o'r Beibl. Daw'r rhan o'r hanes am Iesu yn galw'i ddisgyblion ym Mhennod 4 o Efengyl Mathew yn y Testament Newydd.

Darllenwch y darn yn ofalus dros ben.

A'r Iesu yn rhodio wrth fôr Galilea, efe a ganfu ddau frodyr, Simon, yr hwn a elwir Pedr, ac Andreas ei frawd, yn bwrw rhwyd i'r môr; canys pysgodwyr oeddynt:

Ac efe a ddywedodd wrthynt, Deuwch ar fy ôl i, ac mi a'ch gwnaf yn bysgodwyr dynion.

A hwy yn y fan, gan adael y rhwydau, a'i canlynasant ef.

Beth ydych chi'n sylwi ynglŷn â'r darn?
A oes yma eiriau dieithr i chi?
A oes yma eiriau cyfarwydd wedi'u hysgrifennu neu eu sillafu mewn ffordd ddieithr?
Craffwch ar y brawddegau. Oes rhywbeth yn arbennig neu'n wahanol ynglŷn â nhw?

Yn 1988, union bedwar can mlynedd ar ôl cyhoeddi Beibl William Morgan, cyhoeddwyd cyfieithiad newydd, modern o'r Beibl. Enw'r gyfrol yw *Y Beibl Cymraeg Newydd.* Y tro hwn, bu nifer o ysgolheigion yn cydweithio ar y project.

Dyma'r un darn o Efengyl Mathew fel y mae
yn *Y Beibl Cymraeg Newydd*.

**Wrth gerdded ar lan Môr Galilea gwelodd Iesu ddau
frawd, Simon a elwid Pedr, ac Andreas ei frawd, yn
bwrw rhwyd i'r môr; pysgotwyr oeddynt. A
dywedodd wrthynt, "Dewch ar fy ôl i, ac fe'ch gwnaf
yn bysgotwyr dynion." Gadawsant eu rhwydi ar
unwaith a'i ganlyn ef.**

Beth ydych chi'n sylwi ynglŷn â'r cyfieithiad newydd?
Sylwch pa eiriau sydd wedi cael eu newid Pam, tybed?
Sylwch fod y ffordd mae sgwrs yn cael ei dangos wedi newid.
Defnyddir dyfynodau yn *Y Beibl Cymraeg Newydd*.

Llungopïwch y ddau ddarn a'u gludo ar bapur glân yn eich llyfrau gwaith.
Craffwch ar y ddau ddarn gyda chymorth eich athrawes.
Nawr tanlinellwch bob manylyn sydd wedi newid mewn inc.

Mae'r darn o Feibl William Morgan ac o'r *Beibl Cymraeg Newydd* yn dangos yn
eglur fel mae'r iaith wedi newid dros gyfnod o bedwar can mlynedd.

Wrth gwrs, mae'r iaith yn dal i newid. Mae'n bosibl fod ambell beth yn y fersiwn
newydd yn edrych yn hen ffasiwn neu'n ddieithr i chi.

EWCH ATI!

Ewch ati i ysgrifennu'r darn o Efengyl Mathew yn eich Cymraeg gorau.
Ysgrifennwch y darn mewn Cymraeg safonol, cywir. Peidiwch â defnyddio iaith lafar.

Cofiwch roi'r sgwrs mewn dyfynodau.

Ar ôl i chi orffen, craffwch yn ofalus ar eich
fersiwn chi o'r darn.
Beth wnaethoch chi ei newid?
Allwch chi egluro pam?

Beth ddywedai'r Esgob William
Morgan, tybed, pe bai'n gweld eich
fersiwn chi?

Pa un o'r tri darn yw'r gorau gennych?
Pa un ohonynt yw'r hawsaf i'w ddeall?

ANSODDEIRIAU
Geiriau Disgrifio

Mae disgrifio'n bwysig er mwyn dweud mwy am rywun neu rywbeth.
Mae'n dweud sut un yw rhywun neu rywbeth.

Mae disgrifio'n gwneud stori'n fwy diddorol i'w darllen.

I Edrychwch ar y lluniau. Meddyliwch am dri gair i ddisgrifio bob llun.

ffyrnig
mawr
annwyl

2 Dyma lun Mr Ariangar sy'n rheolwr archfarchnad fawr. Chwiliwch am eiriau i ddisgrifio:

ei wyneb:
ei ddillad:
ei gorff:
ei esgidiau:
ei ddwylo:
ei wallt:

3 Dyma Lydia'r llygoden fach sy'n byw dan sgyrtin yn siop Mr Ariangar. Chwiliwch am eiriau i ddisgrifio:

ei llygaid: ei thraed: ei chôt:
ei chynffon: ei thrwyn: ei chlustiau:

4 Dyma stori. Rhowch **ansoddeiriau** addas yn y bylchau.

Un noson .... , roedd Gwydion yn gweithio'n hwyr yn

y siop .... Bu wrthi'n brysur y rhoi trefn ar y

losin.................. a'r cylchgronau.................. Yn sydyn, clywodd

sŵn .... yng nghefn y siop. Gwrandawodd yn astud.

Clywodd sŵn y bws .... yn pasio heibio a'r plant

.... yn chwarae yn y stryd. Yna clywodd y drws o'r

cefn yn agor. Trodd a gwelodd fachgen .... Roedd

ganddo gôt .... ac esgidiau .... Roedd ei

wallt yn wlyb.

Beth ddigwyddodd wedyn?
Gorffennwch y stori gan ddefnyddio digon o ansoddeiriau.

GWYBODAETH BWYSIG IAWN

Mae pob *ansoddair* yn disgrifio *enw*: bachgen **clên**, diwrnod **prysur**, gwely **cyfforddus**.

Ambell dro, mae llythyren gyntaf yr ansoddair yn newid. **Treiglad** yw'r enw ar y newid hwn.

Mae llawer iawn o enwau'n **wrywaidd** (fo/fe). Does dim trafferth gyda'r rhain. Mae'r ansoddair yn aros yr un fath.

Mae llawer o enwau'n **fenywaidd** (hi). Mae rhai o'r rhain yn newid.

Dyma'r llythyren sy'n newid yn yr ansoddair:

c > g	cath + **c**reulon = cath **g**reulon
p > b	merch + **p**rysur = merch **b**rysur
t > d	buwch + **t**ew = buwch **d**ew
b > f	nain + **b**endigedig = nain **f**endigedig
d > dd	stori + **d**oniol = stori **dd**oniol
g > w	iâr + **g**wirion = iâr **w**irion
ll > l	sgert + **ll**iwgar = sgert **l**iwgar
rh > r	llewes + **rh**eibus = llewes **r**eibus

Os nad ydych yn siŵr a yw *enw* yn **fo/fe** neu **hi**, edrychwch mewn geiriadur, neu gallwch ofyn i'ch athrawes!

O AWR I AWR
Llunio Amserlen

Bu Mathew a Jonathan yn aros yn Llangrannog. Ar ôl dod yn ôl i'r ysgol fe luniodd y ddau amserlen i ddangos sut roedden nhw'n treulio'r amser yno.

Amser	
7.00 – 7.30.	Dihuno ac ymolchi.
7.30 – 8.30.	Amser sbâr/hamdden (amser i chwarae pêl-droed, pŵl, tenis bwrdd, gemau cyfrifiadur, siglenni, siarad a chymdeithasu).
8.30. – 9.00.	Brecwast (Weetabix, Corn Flakes, Rice Krispies, tost a menyn a jam).
9.00. – 9.30.	Archwilio'r cabannau (dau berson yn rhoi marciau allan o ddeg am le glân a thaclus. Colli un marc am bob trosedd !)
9.30. – 9.45.	Cyfarfod i bawb yn y neuadd (y plant yn cael eu rhannu'n grwpiau gwaith).
9.45 – 10.00.	Y grwpiau yn trafod gwaith y bore.
10.00 – 11.30.	Gwaith (neu weithgareddau) Taith i Gei Newydd, yr afon, y goedwig.
11.45.	Cyrraedd nôl yn y gwersyll.
11.45 – 12.00.	Amser sbâr
12.00. – 1.00.	Cinio (sglodion y rhan fwyaf o'r amser.)
1.00. – 2.00.	Amser sbâr
2.00. – 3.30.	Gweithgareddau (neu waith) Sgio a chadw'n heini, nofio a sglefrio, merlota a gwibgartio, beiciau modur a beiciau BMX.
4.00. – 4.45.	Te (creision a bisgedi).
4.45. – 5.00.	Grwpiau gwaith (adolygiad o'r dydd, cofnodi) Amser siop!
7.00. – 7.45.	Swper (Sglodion).
7.45 – 8.00.	Amser sbâr
8.00 – 10.00.	Ffrangeg, y gampfa, celf.
10.00. – 10.30.	Newid a pharatoi ar gyfer y gwely.
10.30.	Diffodd y golau, amser cysgu.

Mae hon yn amserlen wych! Mae'n fanwl ac yn llawn gwybodaeth a ffeithiau perthnasol. Ewch ati i greu amserlen eich hun. Gweithiwch gyda phartner.

Mae criw o blant o ardal Chateaulin yn Llydaw yn dod ar daith gyfnewid i'ch ysgol chi. Bydd y plant o Lydaw yn aros yn eich cartrefi chi. Dychmygwch beth yw enw'r plentyn sy'n aros yn eich cartref chi.

Holwch am enwau Llydewig neu Ffrengig!

Dyfeisiwch amserlen at gyfer y diwrnod mae'r Llydawyr yn mynd i'w dreulio yn eich ysgol chi. Bydd angen amrywiaeth o weithgareddau:

- yn y dosbarth (gwaith fideo, Mathemateg, chwarae offerynnau cerdd, gwnïo);
- Plant yn ysgrifennu! Gwnewch lun a chynhwyswch enghraifft fer o un o'r rhain: dyddiadur, cerdd, dechrau stori, rysait, drama;
- yn yr awyr agored (pêl-droed, rownderi, garddio);
- Beth am daith fer i ymweld â rhywle yn nalgylch yr ysgol?
- Beth am ryw weithgaredd i roi blas ar Gymru i'r ymwelwyr? Dawnsio gwerin? Canu cerdd dant?
- Ceisiwch lunio bwydlen Gymreig ar gyfer amser cinio.

Dechreuwch ben bore (6.30 neu 7.30?) pan fyddwch chi a'ch ymwelydd o Lydaw yn deffro. Gorffennwch gefn nos (8.30 neu 10.30?) pan fyddwch chi'n diffodd y golau i gysgu.

Gwybodaeth Bwysig Iawn: CROMFACHAU

Pryd mae defnyddio cromfachau?

Edrychwch yn ofalus eto ar yr amserlen. Mae Mathew a Jonathan wedi defnyddio **cromfachau** (..........) sawl gwaith wrth lunio'u hamserlen.

Defnyddir **cromfachau** i roi **gwybodaeth ychwanegol** am rywbeth. Dyma enghraifft:
Prynais gêm sega (un newydd sbon o'r enw Pimo) yn siop Smith's Porthcawl.

Defnyddir **cromfachau** weithiau i **ddweud rhywbeth gyda llaw** neu **wrth fynd heibio**. Dyma enghraifft:
Rwy'n cael gwersi piano (gwastraff amser, a dweud y gwir) bob nos Fawrth.

Mae cromfachau yn atalnodau defnyddiol, a soffistigedig hefyd. Cewch lawer o hwyl yn eu defnyddio.

GORDON JONES - MEGA FRATHWR LLYFRAU
Taflen Hoff Lyfrau

TOCYN MYNEDIAD I BEN AWDUR

Mae cael llyfr da, ac yn enwedig stori dda, yn docyn mynediad i gael mynd am dro i ben awdur. Mae'n gyfle hefyd i gael stôr o brofiadau newydd. Mae profiadau pob awdur a phob plentyn ar y blaned hon yn wahanol ac yn unigryw, ac wrth ddarllen llyfrau cewch lwytho'r disg caled sydd rhwng eich clustiau gyda megabeits di-ri o deimladau, syniadau a ffeithiau o bennau pobl eraill. Handi iawn, yntê?

I MEWN TRWY GLUST AWDUR
Reit, clust pwy yw hon? Emily Huws. Iawn, sychwch eich traed ac i mewn â chi! Enw Wmffra - ci Emily Huws - sydd ar y mat. A stori yw hon wedi'i hadrodd gan Wmffra, am ei fywyd gyda'r "ddynes" 'ma. Gwnewch yn siŵr fod hances wrth law; roedd f'un i'n wlyb domen wrth ddarllen y stori arbennig hon. Ac mae rhagor o straeon tebyg gan Emily yn y gyfres *Ni a Hi*.

PEN PRYSUR EMILY
Ie, pen prysur iawn sydd ganddi, un llawn hwyl, cyffro ac antur. Os hoffech chi fynd (yn eich meddwl) i fyw at deulu arall am gyfnod, ewch i aros gyda Rhian Mai a'i theulu lliwgar yn **Sling** a'r llyfrau eraill sy'n dechrau gyda **'Tisio** neu **'Dwisio** yng *Nghyfres Cled*. Yng nghanol yr hwyl mae'r awdur yn trafod pethau sy'n poeni pawb heddiw - creulondeb at anifeiliaid, pobl dlawd a diweithdra. A pheidiwch ag anghofio am y storïau penigamp eraill yng *Nghyfres Cled*.

Straeon
ac Arwyr
Gwerin
Llydaw

Sylvia Prys Jones
a
Myrddin ap Dafydd

LLYFRAU LLOERIG

ZAC YN Y PAC
Gwyn Morgan a Dai Owen

LLID Y LLOER

JOAN AIKEN • ALAN LEE
ADDASIAD EMILY HUWS

'TISIO BET?

EMILY H

Estrys

SIAN LEWIS

EMILY HUWS

Wmffra

Anturiaethau Twm Siôn Cati

Ymysg
Lladron

T. Llew Jones

43

SIÂN A'R DITECTIFS

Nid chwarae ar fod yn dditectifs mae'r cymeriadau yn llyfrau Siân Lewis – mae'n rhaid iddyn nhw ddatrys problemau go-iawn, problemau nad yw'r oedolion yn medru eu datrys. Yn **Jig-so** mae mam Non yn y carchar am iddi gael ei chyhuddo o losgi tŷ, ond fe ŵyr Non ei bod hi'n ddieuog ac mae'n rhaid iddi frwydro'n galed iawn i brofi hyn. Os yw cymeriadau cryf, diddorol **Jig-so** yn apelio atoch, beth am i chi ddarllen rhagor amdanynt yn **Y Defaid Dynion**? Ac os ydych chi'n berson 'gwyrdd' sy'n poeni am lygredd, trowch at **Estrys** gan yr un awdur.

LLYFRAU LLOERIG

Profiad hollol wirion yw mynd am dro rhwng glustiau Gwyn Morgan! Mae **Zac yn y Pac** a **Rwba Dwba** yn ddoniol a chlyfar ac yn llawn darluniau cartŵn bywiog gan Dai Owen. Cewch berlau o lyfrau sy'n llawn lluniau yng nghyfres *Llyfrau Lloerig*, gan gynnwys y cyfrolau o gerddi difyr, **Briwsion yn y Clustiau** a **Mul Bach ar Gefn ei Geffyl**.

YN Y PICTIWR

Rwy'n hoff iawn o ddarluniau da ac yn ffan mawr o **Tin Tin** ac **Asterix**. Mae'r lluniau yn **Llid y Lloer** yn anhygoel ac fe allech dreulio oriau yn "darllen" storïau Cawl Lloerig heb ddarllen mwy na dwsin o eiriau! Wir yr! Peidiwch â chymryd sylw o unrhyw hen drwyn sy'n digwydd syllu dros eich ysgwydd a dweud eich bod yn darllen llyfr "babïaidd" neu "rhy hawdd". Does dim o'i le mewn darllen llyfr llawn lluniau; wedi'r cyfan, mae papurau newydd a chylchgronau i oedolion yn llawn lluniau yn tydyn? Mae'n gwneud lles i bawb ddarllen pethau ysgafn.

YDY POPETH SY'N HEN YN *BORING*?

"Nac ydi" yw'r ateb! Wrth ddarllen **Y Mabinogi** a **Chwedl Taliesin** wedi'u hadrodd gan Gwyn Thomas, cewch gyfle i grwydro tu mewn i bennau'r Cymry oedd yn byw ganrifoedd yn ôl. Mae'r pethau sy'n digwydd yn y chwedlau hyn yr un mor ddramatig ag unrhyw beth a welwch mewn ffilm neu gartŵn ar y sgrîn heddiw. Fe synnech chi faint o syniadau pobl ffilmiau fel Spielberg a Disney sydd wedi eu benthyca o'r hen straeon neu chwedlau. Y peth pwysicaf oll i'w bacio yn eich cês cyn mynd ar eich gwyliau dramor yw llyfr o gyfres *Straeon ac Arwyr* - nid eli bola-heulo! Daeth Llydaw yn fyw i'n teulu ni wedi darllen **Straeon ac Arwyr Gwerin Llydaw**!
Mae Hilma Lloyd Edwards yn creu darlun clir fel crisial yn **Gwarchod yr Ynys**, un o nifer o'r llyfrau sydd ar gael am gyfnodau yn hanes Cymru. Hawdd dychmygu hefyd sut brofiad oedd teithio gyda Christopher Columbus wrth ddarllen y llyfr llawn ffotograffau amdano yn y gyfres *Roeddwn i Yno*.

LLEW A'R LLADRON

T. Llew Jones yw'r awdur perffaith i'ch tywys y tu mewn i bennau rhai o arwyr mawr Cymru - Twm Siôn Cati, Barti Ddu a Harri Morgan. Tybed a fyddwch, fel fi, yn teimlo wrth ddarllen ei nofelau, eich bod yno ymysg y môr-ladron, yn ymladd yn ffyrnig, yn carlamu ar gefn ceffyl, yn arogli'r chwys a'r lledr a'r heli môr? Mae cau'r clawr wedi darllen nofel fel **Tân ar y Comin** yn rhoi'r un teimlad i mi â chodi o'm sedd yn y sinema ar ôl gwylio clamp o ffilm.

MEGA-FRATHU LLYFRAU

Dim ond rhai o'm holl lyfrau rydw i wedi eu nodi fan hyn – mae yna ddegau o lyfrau Cymraeg gwych i'w cael. Dwi wedi parablu hen ddigon erbyn hyn, ac mae gen i ffansi gwibio i fyd Aladin, Sinbad ac Ali Baba. Felly, os gwelwch chi ddyn barfog yn saethu fel mellten drwy'r awyr ar gopi o **Mil ac Un o Nosau Arabia**, cofiwch godi llaw arna i, wnewch chi?

Ac os hoffech chwi wneud tric tebyg, trefnwch daith i'ch llyfrgell neu siop lyfrau i lwytho'r disg caled sydd rhwng eich clustiau <u>chi</u>! Mega-frathwch lyfr neu ddau!

EWCH ATI!

Mae'n amlwg fod Gordon Jones yn ddarllenwr o fri! Ond gallwch chwithau wneud **taflen hoff lyfrau** hefyd!

Gweithiwch mewn grwpiau o dri neu bedwar. Trafodwch eich hoff lyfrau yn gyntaf a llunio rhestr gan gofio nodi'r manylion canlynol:

teitl y llyfr;

awdur y llyfr;

cyfres y llyfr (nid yw pob llyfr yn perthyn i gyfres);

sut fath o lyfr ydyw (ai stori antur, stori ddirgelwch, stori natur, stori hanesyddol, llyfr ffeithiol, llyfr jôcs neu gartwnau)

rhai **manylion diddorol** am gynnwys y llyfr (stori, cymeriadau, cynllun ac ati)

rhoi'r rheswm **pam eich bod wedi mwynhau'r llyfr**, a rhoi'r rheswm **pam fod yn werth i blant eraill ddarllen y llyfr**.

Bydd gofyn i bob aelod o'r grŵp gyfrannu **un** neu **ddau** baragraff i'r daflen. Gallwch ganolbwyntio ar hoff awdur, neu math arbennig o storïau neu ar gyfuniad o hoff storïau ac awduron.

Gallwch lungopïo cloriau rhai o'ch hoff lyfrau neu luniau sydd yn y llyfr a'u gludo'n gefndir i'r **daflen hoff lyfrau**.

PAN OEDDWN I'N FACH
Golwg ar Hunangofiant

Dydd Sadwrn oedd y diwrnod fydda arna i isio fwya'i weld
ystalwm, achos bydda Bob adra drwy y dydd. Bydda adra ddydd
Sul hefyd, wrth gwrs, ond chawn ni ddim chwara gin mam ar
ddydd Sul. Mi fyddwn yn disgwyl ar hyd yr wythnos am ddydd
Sadwrn, a'r diwrnod hwnnw byddwn yn canlyn Bob drwy'r dydd
i bobman yr elai. Bydda John y Rhiw hefo ni bron bob amsar. Os
bydda hi'n bwrw mi fyddan yn mynd i'r 'sgubor fawr i chwara.
'Roedd Bob wedi gneud siglan yno, a fu jest iddo dorri'i wddw
wrth 'i gneud hi, pan ddaru o ddringo i fyny i glymu'r rhaff yn yr
hen ddistin. Ond mi 'roedd y siglan yno, ac mi fydda Bob a John
yn fy siglo i am oria. Pan fydda hi'n braf mi fyddan yn mynd i
'sgota i'r afon bach sy yng Nghoed-y-Nant. 'Dwn i ddim oes 'na
bysgod yno. 'Dydw i ddim yn cofio i Bob na John
ddal yr un yno erioed. Fydda rhaid i mi ddim
cerddad llawer ar y daith yma, achos bydda naill ai
Bob neu John yn fy ngharlo i o hyd, f'ella mai am mai
felly yr aent yn 'u blaena gynta y byddant yn gneud
hynny. Pan fyddan ni wrth yr afon, bydda Bob yn fy rhoi fi i
sefyll mewn lle saff, ac yn peri i mi gymyd gofal na 'nawn i
ddim symud o'r fan, ond weithia mi fyddwn yn mynd yn
anesmwyth isio gweld be fyddan nhw wedi ddal wrth glywad
John yn deud yn ddistaw, "Ust, dyna fo, mae o'n plygio yn
ofnatsan; dusw bach, mae hwn yn un mawr." A byddwn yn
symud cyn gyntad â fedrwn i atyn nhw, ond rhyw dusw o wellt neu rywbath fydda'r bach wedi ddwad i'r
lan. Un tro mi es ar ormod o frys i weld y pysgodyn mawr, ac i lawr â fi i ganol y dŵr. A dyna lle 'roedd y
ddau yn fy nhynnu allan. 'Dw i'n cofio rwan mor wyn oedd gwynab Bob. Ond 'doeddwn i ddim gwaeth,
dim ond bod fy ffrog goton las a gwyn i, fy 'sgidia a fy socs, a fy *hood* gwyn i'n 'lyb doman, a sut oedd posib
'u sychu nhw heb i mam wybod?

Darllenwch y darn yn araf ac yn ofalus.

Sut un oedd y 'fi' yn y darn, sef y cymeriad sy'n adrodd yr hanes?
Tanlinellwch bopeth sy'n cael ei ddweud am y 'fi' yn y darn.

Nawr dylech allu ateb y cwestiynau:
Ai bachgen neu ferch yw'r 'fi' yn y stori?
Beth oedd y plentyn yn ei wisgo pan syrthiodd i'r afon?
Tua faint oedd oed y plentyn sy'n adrodd y stori?

Ysgrifennwyd y darn hwn yn 1895. Ydych chi'n meddwl fod plant wedi newid ers hynny?
Beth fyddwch chi'n ei wneud ar ddydd Sadwrn braf beu wlyb?
Beth fyddwch chi'n ei wneud ar ddydd Sul?
Pam nad oedd mam y plentyn yn caniatáu i'w phlant chwarae ar y Sul?

Ysgrifennodd Winne Parry'r hanes hwn yn yr iaith roedd hi'n siarad bob dydd. "Tafodiaith" yw'r enw ar hyn.

Mae llawer o eiriau yn y darn sydd wedi'u sillafu'n wahanol i fel maen nhw yn y geiriadur, er enghraifft *chwara, gneud, amsar*. Maent wedi eu sillafu fel hyn er mwyn dangos sut roedd y plentyn sy'n adrodd y stori yn eu hynganu. Chwiliwch am ragor ohonynt.

Ai tafodiaith y De ynteu dafodiaith y Gogledd sydd gan Winnie Parry?

A ydych yn cofio i chi dreulio amser arbennig yng nghwmni ffrind neu frawd neu chwaer pan oeddech chi'n fach?
Ysgrifennwch yr hanes yn eich tafodiaith eich hun.
Gallech ddechrau gyda'r geiriau:
Dwi'n cofio erstalwm .... / **Wy'n cofio 'slawer dydd ....**

Gwnewch lun du a gwyn pin ac inc i fynd gyda'r stori.

Enwau'r bechgyn yn y stori yw Bob a John.
Enwau rhai o'r cymeriadau eraill yn y llyfr yw Nel, Maggie, Elin, Wil, Dic, Margiad a Twm.
Ffurf Gymreig, agos-atoch ar enwau Saesneg cyffredin yw'r rhain.
Allwch chi ddarganfod beth oedd yr enwau Saesneg?

Yn 1895 a chyn hynny roedd llawer o blant yn cael eu henwi ar ôl eu teuluoedd.

Beth yw enwau eich ffrindiau chi?

Faint ohonoch sydd wedi cael eich enwi ar ôl aelod o'ch teulu?

Gwnewch arolwg o enwau plant eich ysgol. Pa enwau sy'n boblogaidd?

MUNUD I'W SBARIO? Chwiliwch yn y llyfrgell am stori neu hunangofiant neu gerdd wedi'i ysgrifennu mewn **tafodiaith**.

Pa dafodiaith yw hi, tafodiaith y Gogledd ynteu dafodiaith y De?

GWNEUD ARGRAFF
Llunio Erthygl Bapur Newydd

Dyma erthygl a ymddangosodd ym mhapur newydd *Y Cymro*.

BYGWTH Y BROGA

Dydy hi ddim yn adeg dda i fod yn llyffant neu froga. Er gwaethaf haf poeth llawn o bryfed a chychwyn gwlyb i'r flwyddyn newydd y gwir amdani yw nad yw'r llyffant cyffredin hanner mor gyffredin ag y dylai fod y dyddiau hyn.

Er mwyn darganfod beth yn union sy'n digwydd i'r anifail y mae arbenigwyr wedi galw ar filoedd o blant ysgol i'w helpu.

Y tu ôl i gynllun a elwir yn Saesneg yn *Frogwatch* – Brogwel yn Gymraeg, tybed? – y mae siop British Home Stores.

Lansiwyd y cynllun gan y naturiaethwr, David Bellamy, ac y mae i Brifysgol Caerdydd ran ganolog yn y gwaith.

Y syniad yw cael plant i gadw llygad ar ddatblygiad grifft – nid jeli llyffant os gwelwch yn dda – penbyliaid a llyffantod ieuanc yn eu hardaloedd hwy.

Bydd pecynnau pwrpasol ar gael am bunt yn siopau BHS rhwng Chwefror 18 a 25.

Naturiaethwr o'r enw Ben Proctor a fu'n egluro pam mae llyffantod mor bwysig: "Maen nhw yn rhan bwysig o'r rhwydwaith fwyd. Maen nhw'n bwyta llawer o bryfetach yna mae pysgod yn bwyta penbyliaid ac y mae pob math o anifeiliaid yn bwyta llyffantod a brogaod," meddai.

Er mai'r ffaith fod eu cynefin naturiol yn prysur ddiflannu sy'n cael y bai mwyaf am y prinder presennol y mae naturiaethwyr yn amau fod a wnelo newid yn y tywydd â'r peth hefyd.

Bu gaeafau tyner y blynyddoedd diwethaf yn newyddion drwg i lyffantod. Yn un o'r saith cysgadur, y mae'r llyffant i fod i gysgu'r gaeaf ond ni all wneud hynny oni bai ei bod hi'n oeri yn go iawn.

Yn sicr, y mae'r tywydd yn achosi dryswch rhyfeddol yn eu bywydau a bu sôn yn ddiweddar am lyffantod yng Nghernyw yn dodwy ym mis Tachwedd hyd yn oed.

Sylwch yn ofalus ar yr erthygl.
Mae **pennawd** mewn teip bras ar y brig.
Mae'r erthygl wedi ei rhannu'n **baragraffau** byrion.
Nid oes mwy na dwy frawddeg mewn unrhyw baragraff.
Mae'r erthygl yn cynnwys **dyfyniad** (sef union eiriau rhywun). Mae **dyfynodau** o boptu'r dyfyniad.

Ysgrifennwch erthygl ar gyfer eich papur ysgol neu bapur bro. Dewiswch bwnc diddorol.

Dyma rai syniadau i chi: adroddiad ar gêm bêl-droed neu bêl-rwyd; plentyn wedi ennill cystadleuaeth; datblygiad newydd yn eich ardal; y tywydd neu fyd natur; dathliad arbennig.

Dilynwch y patrwm hwn yn ofalus:

PENNAWD
Paragraff cyntaf bywiog a diddorol!
Paragraffau byrion. Dim mwy na **dwy neu dair** brawddeg.
Dyfyniad? Cofiwch y dyfynodau!
Cywirdeb. Sicrhau fod pob enw a ffaith a dyddiad yn gywir.

Cofiwch gynnwys digon o luniau, ffotograffau a chartwnau!

Ar ôl i chi orffen eich erthygl, gallwch ei theipio ar gyfrifiadur y dosbarth, a'i hargraffu. Gwnewch gasgliad o'ch erthyglau a'u glynu mewn llyfr torion i wneud papur newydd dosbarth.

PWYSIG IAWN: PARAGRAFFAU MEWN YSGRIFENNU FFEITHIOL

Wrth ysgrifennu **darn ffeithiol**, sef unrhyw waith ysgrifennu sy'n **cyflwyno gwybodaeth**, mae'n bwysig iawn defnyddio paragraffau. Mae paragraffau'n rhannu'r darn yn bytiau hawdd eu darllen.

PRYD I DDEFNYDDIO PARAGRAFF NEWYDD

1. **Paragraff newydd** bob tro y byddwch yn ychwanegu **darn o wybodaeth newydd**.
2. **Paragraff newydd** pan fyddwch yn sôn am ryw **bwnc** neu **syniad newydd**.
3. **Paragraff newydd** bob tro y byddwch yn **dyfynnu geiriau rhywun**.
   (Cofiwch am y dyfynodau hefyd!)

PLANT Y PYLLAU GLO
Mynegi Barn neu Deimlad mewn Gwaith Creadigol

Dros gan mlynedd a hanner yn ôl, roedd llawer o blant ifainc yn gweithio yn y pyllau glo a'r gweithfeydd haearn yn Ne Cymru.

Roedd rhai ohonynt yn ieuengach o lawer na **chi**.
Roedd rhai ohonynt yn gweithio rhwng 12 a 14 awr y dydd.

Dyma lun o ferch ifanc yn llusgo twba trwm o lo drwy basej cul, isel dan ddaear yn y pwll glo. Fel arfer, byddai'r gadwyn yn cael ei gosod o dan y corff, rhwng y coesau (yn wahanol i'r llun uchod).

Dyma dystiolaeth Susan Reece, merch chwech oed a oedd yn cadw drws yn un o byllau glo'r De, tua 1840.

"**Rwy wedi bod yn gweithio dan ddaear am chwech neu naw mis a dwy i ddim yn 'i hoffi fe ryw lawer. Rwy'n dod 'ma am chwech o'r gloch y bore, ac yn gadael tua chwech y nos. Pan fydd fy lamp yn diffodd, neu eisie bwyd arno i, fe fydda i'n mynd gartre. Dwy i ddim wedi cael f'anafu eto.**"

A dyma eiriau bachgen saith oed, o'r enw Richard Hutton, a weithiai fel glöwr mewn pwll yng Ngwent:

"**Rwy i'n gweithio 'ma ers blwyddyn. Ma 'fe'n lle gweddol. Fe fydda i'n falch pan fydda i'n cyrraedd gartre. Fe fydde'r tanio [y ffrwydriadau i chwythu glo i'r wyneb] yn arfer codi ofan arno i i ddechre. Wy'n dal ddim yn 'i lico fe.**"

Sut mae darllen am y plant yma yn gwneud i chi deimlo?
Yn flin? Yn ddigalon? Yn wyllt gandryll?
Pa bethau yn eich bywyd bob dydd sy'n gwneud i chi deimlo'n debyg?
Ydych chi wedi gweld plentyn yn cael y drefn neu slapen ar y stryd?
Ydych chi wedi gweld anifail yn cael ei drin yn greulon?

Ydych chi wedi gweld plant o'r Trydydd Byd ar y teledu sy'n gweithio oriau maith yn gwneud carpedi?

Dyma gerdd a ysgrifennodd un ferch am fachgen o lanhawr simneiau 'slawer dydd:

Cân y Simne

Gweithiai bachgen yn simneau Llundain.
A'i wyneb yn ddu fel y nos.
A'i freichiau yn greithiau i gyd.
A'i wallt yn llawn llwch.

Dringo, dringo, dringo
Lan y simne ddu.
Brwsio, brwsio, brwsio
Y simne fel carchar cul.
A'i ddwylo yn dechrau 'nafu
fel petaen nhw'n llawn pinnau.

O! am gael mynd i'r caeau mawr,
A gweld yr awyr agored.
I weld y lliwiau hyfryd.
O! am weld yr afon las,
O! am gael chwarae gyda ffrindiau newydd,
O! am ddianc o'r simne ddu.

Chloe James 10 oed

EWCH ATI!
Ysgrifennwch gerdd am ddigwyddiad neu raglen deledu sydd wedi gwneud i chi deimlo fod rhyw berson neu anifail yn cael cam.
Dywedwch beth oedd eich ymateb chi.
Wnaethoch chi wylltio?
Ddwedoch chi rywbeth?
Wnaethoch chi rywbeth?

Digon o fanylion!

SUT SÔN YDYW YMSON?
Llunio Sgwrs mewn Tafodiaith

Tynnu Fy Llun

"Ie . . . am dynnu fy llun i?
Iawn. Ond 'rhoswch chi,
Rhowch eiliad fach i mi
Gael gwneud fy mhlu
a thwtio orau medra'-i,
Fy smotiau a gosod fy ngwyn
Yn weddol weddus, fel hyn . . .
Ie, dyna ni, mae hyn'na'n eitha'.
Sut y bydd hi os edrycha' i
Arnoch fel'ma?"

twtio – tacluso
gweddus – taclus, hardd
eitha' – gweddol

Yn y gerdd mae'r aderyn yn siarad gyda'r sawl sydd ar fin tynnu ei lun.
Mae'n siarad **tafodiaith,** sef yr iaith rydym yn ei siarad yn naturiol bob dydd.
Sylwch ar eiriau fel **'rhoswch** (arhoswch), **eitha'** (eithaf), **medra'i** (medraf), **edrycha'i** (edrychaf) a
fel'ma (fel yma). Ffurfiau tafodieithol yw'r rhain.

Mae tafodiaith wahanol gan bobl De a Gogledd Cymru.
Craffwch yn ofalus iawn ar y gerdd. Ai **tafodiaith** De Cymru ynteu Gogledd Cymru mae'r aderyn yn
ei siarad? A yw **tafodiaith** yr aderyn yn *debyg* neu'n *wahanol* i'ch tafodiaith chi?

Ystyr **ymson** yw siarad â chi eich hun. Mae ymson yn debyg i rywun yn siarad mewn drych neu
siarad ar y ffôn heb neb ar y pen arall.
Mewn **ymson** gall cymeriad ddweud ei stori, neu ddweud ei gŵyn neu hel meddyliau.
Gall fod yn ddoniol neu'n ddifyr neu'n drist.

EWCH ATI! Edrychwch ar y tri llun hyn:

"Mi ddaeth llythyr
y bore 'ma . . ."

"Be ydych chi'n feddwl o'r car
newydd yma? . . ."

"Welsoch chi blismon? Mae'n
rhaid cael plismon ar frys . . ."

Edrychwch yn ofalus ar y lluniau. Meddyliwch am y cymeriadau yn y lluniau.
Mae'r frawddeg gyntaf wedi cael ei hysgrifennu'n barod ar eich cyfer!

Cyn dechrau ysgrifennu'r **ymson,**
gwnewch **nodiadau drafft.**
Meddyliwch am beth rydych yn mynd
i'w ysgrifennu. Gallwch wneud rhestr
eirfa neu gynllun bras.

Beth am drafod
gyda ffrind?

Tynnwch lungopi o'r llun a'i lynu ar
bapur gwyn glân.
Os hoffwch, gallwch ddefnyddio llun o'ch
dewis eich hun, neu lun o hen
gylchgrawn neu bapur.

Nawr ysgrifennwch **ymson**
y cymeriad yn y llun.

Ysgrifennwch mewn **tafodiaith,** sef
yr iaith rydych chi'n ei siarad yn
naturiol bob dydd.

Cofiwch! Y cymeriad yn y
llun fydd yn siarad. Bydd yn
ei alw ei hun yn "fi".

**Cofiwch! Peidiwch â sôn am y cymeriad yn
y llun fel "fo" neu "fe" neu "hi".**

MUNUD I'W SBARIO Eisteddwch mewn cylch yn y dosbarth i
wrando ar rai o'r ymsonau'n cael eu darllen.
Cyn dechrau darllen eich ymson, daliwch eich llun yn uchel i bawb gael ei
weld.

Pa ymsonau oedd ffefrynnau'r dosbarth - y rhai doniol, y rhai trist neu'r
rhai oedd yn adrodd stori?

SLOGANAU
Dweud Cwta, Cofiadwy

Dyma rai sloganau cyfarwydd.
Ydych chi'n eu hadnabod?

Weithiau, bydd **slogan** yn hysbysebu rhywbeth.
Bydd yn annog pobl i **brynu** neu **ddefnyddio**
nwydd arbennig.

Ambell dro, bydd **slogan** yn eich annog
i **wneud rhywbeth.**

Dyma slogan o'r papur
bro Llanw Llŷn

Ambell waith, bydd **slogan** yn ein annog i **beidio â gwneud rhywbeth**:

EWCH ATI! Rhowch gynnig ar lunio slogan eich hun. Brawddegau byr, bachog yw'r sloganau gorau. Anelwch at slogan fydd yn hwyl ac yn hawdd i'w gofio.

Rhowch gynnig ar lunio slogan i **hybu bwyta'n iach** (llysiau, ffrwythau, ffeibr, reis, pasta, bara).
Peidiwch â cheisio dweud **popeth**. Dewiswch **un** peth i sôn amdano.
Gallech lunio'ch slogan ar siâp torth neu afal neu foronen.

NEU

Rhowch gynnig ar hysbyseb i **hybu rhyw gêm neu chwarae** (pêl-droed, nofio, tenis, ping-pong, marchogaeth, dawnsio disgo, beicio).

Bydd angen **poster hardd** neu **ffotograff** i roi bywyd i'ch slogan.
Sut y byddech chi'n dylunio'r sloganau cadw'n heini hyn?
Llun pen ac inc, dyfrlliw neu ffotograff?

Marchogaeth dros y bryniau pell – Be well?

Peidiwch ag anghofio nofio!

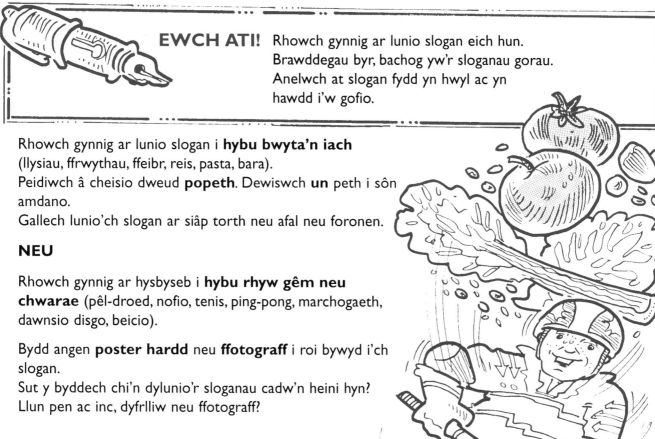

MUNUD I'W SBARIO

Y sloganau gorau yw'r rhai y bydd pobl yn eu cofio. Holwch aelodau'r dosbarth bythefnos ar ôl eich sesiwn llunio sloganau. Pa sloganau sydd wedi aros yn y cof?

STOPIA YSMYGU, DAD!

Dawn Perswadio

Sut y byddech chi'n mynd ati i geisio perswadio rhywun i wneud rhywbeth?

Roedd plant Idris Bifan am berswadio'u tad i roi'r gorau i ysmygu. Dyma sut yr aethant ati.

1 Penderfynodd Enis a Denis swnian ac edliw a chega'n ddi-baid!

2 Ysgrifennodd Mali lythyr:

3 Fe wnaeth Pedr bosteri i'w rhoi ar wal y gegin.

Stopiwch ysmygu NAWR!

Hei Dad, paid â bod yn ffŵl! Dydy smocio ddim yn cŵl!

4 Fe aeth Tudur i'r feddygfa i nôl taflen i annog pobl i roi'r gorau i ysmygu. Rhoddodd Tudur gopi o'r daflen ar fwrdd erchwyn gwely ei dad, un arall yn y car ac un yn ei waled!
Dyma'r prif ffeithiau ar y daflen:

> Byddwch yn teimlo'n well ar ôl rhoi'r gorau i ysmygu.
> Byddwch yn clywed gwell blas ar eich bwyd.
> Byddwch yn llawer llai tebygol o gael canser yr ysgyfaint.
> Byddwch yn llawer llai tebygol o gael trawiad ar y galon.
> Bydd eich siawns o fyw i oedran teg yn llawer uwch.
> Byddwch yn rhoi esiampl ragorol i'ch plant.

Pa rai o'r dulliau hyn o berswadio yw'r mwyaf effeithiol, yn eich barn chi?
Allwch chi ddweud pam? Trafodwch gyda phartner.

EWCH ATI!

Rydych chi am berswadio ffrind i **wisgo helmed feicio.**
NEU
Rydych chi am berswadio'ch rhieni i **fynd â chi ar wyliau gwersylla.**

Sut ydych am fynd ati?
Meddyliwch am y gwahanol ddulliau o berswadio: llythyr, sgwrs, poster, taflen, pennill.

Allwch chi feddwl am ffyrdd da eraill o berswadio rhywun i wneud rhywbeth?

HEI! Beth am lunio hysbyseb i bapur neu deledu?

HELP! GWYBODAETH!

Mae'n bosibl y bydd arnoch angen gwybodaeth neu ffeithiau arbenigol.
Beth am fynd i'ch llyfrgell leol i chwilio am ddeunydd?
Cysylltwch â siop wyliau neu Swyddog Diogelwch y Ffordd Fawr i ofyn am daflenni ac ati.
Holwch eich athrawes am ragor o ffyrdd o gael gwybodaeth berthnasol.

PICNIC HAF - O DYNA BRAF!

Paratoi Cynlluniau - Gwaith Drafftio

Dychmygwch eich bod yn mynd i
drefnu'r picnic gorau a fu erioed.

Cewch wahodd eich ffrindiau a'ch teulu
ac enwogion, hyd yn oed!
Cydweithiwch gyda phartner i wneud y
trefniadau.

Yn gyntaf, gwnewch **gynllun drafft**.
Trafodwch y materion isod.

Pa bryd y cynhelir y picnic?
Pa amser o'r dydd?
Ble caiff y picnic ei gynnal? Beth os
bydd hi'n bwrw glaw?
Pwy sy'n mynd i gael gwahoddiad?
Beth fydd yna i'w fwyta a'i yfed?
Bwyd oer? Barbeciw?
Fydd yna chwaraeon neu rywun yn
difyrru pawb?
Pypedwyr?
Mabolgampau?
Fydd angen dillad arbennig?
Gwisg ffansi? Dillad nofio?
Fydd angen rheolau?

Mae **cynllun drafft** yn gyfle da i roi
trefn ar eich paratoadau.

Pnawn Sadwrn (22 Medi) ~~yn yr ardd~~, ar y traeth, ~~ar ben y foel~~, ~~yn y parc~~
brechdanau caws, bisgedi siocled, creision, mefus a mafon, hufen iâ, selsig,
~~salad~~, pitsas, teisennau uwd, ~~lolipops~~, teisen gaws, rhywbeth arall?
sudd oren, Cola, dŵr swigod, te (i'r mamau).
gêm bêl-droed bum bob ochr? nofio, ~~consuriwr~~, storiwr,
~~esgidiau cerdded~~.
GLAW? Ysgubor Tyddyn Mawr, disgo, barbeciw dan do

Ar ôl gorffen eich cynllun drafft, ysgrifennwch y
trefniadau terfynol yn daclus a gofalus.
Ysgrifennwch mewn brawddegau cyfan y tro hwn.

Defnyddiwch benawdau fel hyn.

PICNIC

LLE:

AMSER:

BWYD A DIOD:

ADLONIANT:

MANYLION PWYSIG:

RHEOLAU:

EWCH ATI!

Ewch ati i ddewis un rysait arbennig ar gyfer y picnic. Gall fod yn rysait blasusfwyd neu'n
bwdin neu'n ddiod. Bydd digonedd o ddewis mewn llyfrau coginio.

Dilynwch y patrwm hwn wrth ysgrifennu'r rysait:

PETRYALAU PINC

Cynhwysion
100g (4 owns) o fenyn neu farjarîn
100g (4 owns) o farshmalows
100g (4 owns) o daffi caramel
100g (4 owns) o reis crispis

Dull
1. Toddwch y menyn a'r taffi a'r marshmalows
gyda'i gilydd mewn sosban a'u berwi am funud
neu ddau.
2. Tynnwch y sosban oddi ar y gwres ac ychwanegwch y reis crispis at y gymysgedd.
3. Taenwch y gymysgedd mewn tun swis rôl a gadael iddo oeri. Torrwch yn siapiau petryal.

12 bisged betryal

SUT MAE POBL YN SIARAD
Iaith Lafar/Troi Drama yn Stori

Dyma'r cymeriadau sydd yn y stori hon.
Edrychwch ar y lluniau. Yna edrychwch ar y sgwrs. Gwnewch lungopi o'r lluniau a rhowch y sgwrs yn y swigod cywir. Ysgrifennwch yn fân ac yn daclus.

Dyma dri phwynt pwysig i chi feddwl amdanynt:

1. Sylwch ar y geiriau. Gall geiriau babïaidd neu hen ffasiwn fod yn gliw.
2. Sylwch ar eiriau megis *fy, fi, iddi,* sy'n awgrymu pwy sy'n siarad.
3. Sylwch ar gynnwys y sgwrs, sef beth yn union mae'r cymeriadau yn ei ddweud.

Bydd rhaid i ti edrych ar ei hôl hi, cofia.
Croeso i'r teulu, Pitw.
Mi ges inna gath pan o'n i'n llefnyn, 'stalwm.
O, Pwsi meri mew! meri mew!

Mae'n ddiflas gorfod mynd i nôl llefrith mor hwyr.
Gaiff pwsi ddod, Mami?
Dwi'n aros i wylio *Top of The Pops.*
Paid â thynnu'n groes, 'rhen chwaer.

60

O, na! Pitw bach annwyl!
Lle mae dwmi-dwm fi?
Mae angen gwaharddiad cyflymdra
ar y ffordd 'ma.
Rŵan, rŵan, dim dŵr ar y felin,
hogan fawr Taid.

Am ben blwydd diflas!
Ydy Pitw'n cysgu'n braf?
Mi claddwn ni hi yn yr ardd, wel'di.
Pam na phrynes i fwji iddi?

Mi glywaf dyner lais, yn galw arna i ...
Gadewch i ni gofio'r amser hapus
gawson ni efo Pitw.
Wna i byth d'anghofio di, fy nghath
fach dlws!
Mae'n oer. Eisio gwylio fideo Smot!

**Ail atgyfodiad, ar f'encos i!
Miaw!
Mae Pitw wedi deffro! Hwrê!
O diar, rydyn ni wedi claddu
cath rhywun arall.
Pitw, dyma ti! O, dyna grêt!**

MUNUD I'W SBARIO Rhowch gynnig ar ysgrifennu'r hanes ar ffurf stori. Gallwch ddefnyddio'r sgwrs sydd yn y stori uchod. Bydd angen llinell newydd ar gyfer bob brawddeg o sgwrs.

**Cofiwch ddefnyddio dyfynodau bob tro
mae rhywun yn siarad.**

HEI! Dyma gychwyn parod i chi!

Mehefin y cyntaf. Diwrnod pen blwydd Haf yn un ar ddeg oed!
Ac roedd hi wrth ei bodd pan welodd hi anrheg Mam.
"Croeso i'r teulu, Pitw," meddai gan fwytho'r gath fach goch.
"Bydd rhaid i ti edrych ar ei hôl hi, cofia," atgoffodd Mam.
Roedd Robin wedi gwirioni gyda'r gath fach. Rhedai o amgylch y stafell gan ganu'r unig gân roedd o'n ei gwybod am gathod.
"Pwsi meri mew, meri mew," gwichiai mewn llais main.
Roedd gweld y gath fach goch yn codi hiraeth ar Taid am ei blentyndod yntau.
"Mi ges inna gath fach pan o'n i'n llefnyn, 'stalwm," meddai'n ddistaw.

PETHAU DA
Llunio Cerdd ar Batrwm

Pethau Da

Da gan y glust
swn dyfroedd
yn treiglo dros gerrig y rhyd.

Da gan y llygaid
y machlud
a'i liwiau drud.

Da gan y genau
flas afal
bach meddal, gwyn.

Da gan y dwylo
roi alaw
ar y tannau tynn.

Da gan fy nghalon
yw'r lodes
wresocaf ei bron.

Pe cawn mi roddwn
yn wir,
fy mhopeth i hon.

Gwilym R. Jones

Darllenwch y gerdd. Ydych chi'n ei hoffi?
Ydych chi'n deall pob gair?

Sylwch ar y gair "treiglo" ym mhennill un.
Pa air arall allech chi ei roi yn ei le, tybed?

Sylwch ar y gair "genau" ym mhennill tri.
Pa air arall allech chi ei roi yn ei le, tybed?

Sylwch ar y gair "lodes" ym mhennill pump.
Pa air arall allech chi ei roi yn ei le, tybed?

Defnyddiwch eiriadur i ddarganfod ystyr <u>treiglo</u>,
<u>genau</u> a <u>lodes.</u>
Oeddech chi wedi dyfalu'n gywir?
Oedd eich cynigion chi'n addas?

Mae'r gerdd yn sôn am y synhwyrau.
Mae'r bardd yn crybwyll pedwar synnwyr. Pa rai ydynt?
Beth yw'r pumed synnwyr na cheir sôn amdano yma?
Ceisiwch feddwl a oes rheswm pam mae'r bardd wedi
peidio â sôn am y synnwyr hwn.

EWCH ATI!

Rhowch gynnig ar fod yn fardd. Rydych am ysgrifennu cerdd newydd sbon ar batrwm
"Pethau Da".

Yn gyntaf, rhaid sylwi'n ofalus ar batrwm pob pennill.

Mae'r llinell gyntaf yn dechrau gyda "Da gan" ac yn enwi'r synnwyr.
Da gan y glust

Mae'r ail linell yn dweud be sy'n dda gan y synnwyr. Llinell fer yw hon.
sŵn dyfroedd

Mae'r drydedd linell yn dweud rhagor am y **peth** sy'n cael ei enwi yn yr ail linell. Mae'n ei
ddisgrifio'n fanwl mewn tri neu bedwar gair.
yn treiglo dros gerrig y rhyd

Cyn dechrau ysgrifennu gwnewch nodiadau bras i'ch helpu.

Llinell 1
Copïwch y llinell hon fel ag y mae.

Da gan y glust

Llinell 2
Edrychwch ar linell y bardd. Nawr gwnewch restr o'r pethau sy'n apelio at eich clust chi. Cofiwch eich bod yn sôn am bethau sy'n apelio at blentyn eich oed chi.

Dyma rai syniadau: sŵn y ffôn yn canu; sŵn arwyddgan *Pobol y Cwm*; sŵn Sobin a'r Smaeliaid; sŵn y fan hufen iâ; sŵn cloch yr ysgol; sŵn fy nghi'n cyfarth; sŵn car Dad.

Ar ôl gwneud rhestr dewiswch y gorau!

sŵn y fan hufen iâ

Llinell 3
Edrychwch ar linell y bardd. Nawr ysgrifennwch dri neu bedwar gair sy'n disgrifio'r sŵn yn llinell 2.

Gallwch wneud rhestr cyn dewis. Dyma ddisgrifiadau o'r fan hufen iâ: yn sgrialu drwy'r stâd; yn tincian ei chân; wrth giât yr ysgol; ar dywydd crasboeth.

Nawr, mae'n bryd dewis y gorau:

ar dywydd crasboeth

Dyma'r pennill gorffenedig: ⟶

**Da gan y glust
sŵn y fan hufen iâ
ar dywydd crasboeth.**

Nawr gwnewch chi'r un peth gyda'r pum pennill cyntaf. Gorffennwch drwy ysgrifennu pennill i gloi'r gerdd. Yn y pennill olaf, dywedwch fwy am y peth sy'n dda gan eich calon.
Gallwch ddefnyddio odlau yn eich cerdd, ond does dim **rhaid** i chi!

65

STORI BAROD - AR BLÂT
Syniadau Parod am Storïau

Mae'n rhaid cael cymeriad diddorol ym mhob stori.

Ac mae'n rhaid cael stori neu blot a fydd yn bachu dychymyg pwy bynnag sy'n darllen eich gwaith.

Gellwch gael anifail neu gawr neu blentyn neu oedolyn yn gymeriad canolog yn eich stori.

Gall eich stori fod yn stori antur, yn stori hanesyddol, yn stori am y goruwchnaturiol, yn stori am anifeiliaid neu'n stori ddoniol.

Allwch chi feddwl am ragor o wahanol fathau o storïau?

Dyma amrywiaeth o gymeriadau mewn gwahanol sefyllfaoedd. Edrychwch ar y lluniau a darllenwch y manylion.

Llanc amddifad sy'n byw mewn bwthyn ar y tir comin ger Dinbych yw Griff. Y flwyddyn yw 1795, mae'r gaeaf yn greulon, ac mae bywyd yn galed. Er mwyn cael digon o arian i ddechrau bywyd newydd, penderfyna Griff droi'n lleidr pen ffordd a dwyn oddi ar deithwyr y goets fawr sy'n teithio drwy Gerrigydrudion ar ei thaith o Lundain i Gaergybi.

Dyma Beryl Anita Jones. Mae Beryl wedi hwylio o gwmpas Prydain Fawr ar ei phen ei hun. Mae hi'n beilot hefyd ac wedi hedfan o Gymru i Wlad yr Iâ ac i Ddenmarc, Sweden, Yr Almaen a Moroco heb help yr un dyn. Mae hi wedi dringo bob un o gopaon yr Andes a'r Pyreneau. Beth fydd ei sialens nesaf?

Merch ifanc sydd mewn cadair olwyn ar ôl damwain ddringo yn Nepal yw Becky Stewart. Symudodd i fyw i Gymru, dysgodd Gymraeg ac aeth ati i astudio hen feddyginiaethau. Daeth yn ffrindiau felly â Lleucu, merch y siop lysiau leol. Un noson daw Lleucu i gnocio ar ddrws Becky. Mae'n argyfwng yn y pentref. A wnaiff Becky helpu?

Bob bore yn ystod gwyliau'r haf aiff Andrew draw i'r warchodfa natur leol i roi help llaw gyda'r adar a'r anifeiliaid. Mae wrth ei fodd yno nes i ddau fachgen o'r ysgol, Jason a Gerallt, ddod draw un dydd gyda ffon dafl a gwn slygs. Mae Jason a Gerallt wedi bod yn poenydio llawer ar Andrew yn yr ysgol ac yn awr dyma nhw wedi dod o hyd i'w guddfan ......

Mari a Gari ydi'r rhain. Maen nhw ar fin darganfod siec anferth am £50,000 o bunnoedd yn y paced creision y maent yn ei fwyta. Be wnaiff y ddau gyda'r arian? A fydd ei wario'n achos sbort neu siomiant neu syndod? (Mam Gari a Mari a dalodd am y paced creision, gyda llaw!)

AILGYLCHU YW'R ATEB!

Gwaith Map a Chyfrifiadur a Thasgau Ymarferol

Dyma daflen sy'n rhoi gwybodaeth am ddarpariaethau ailgylchu yn ardal Dwyfor.

Llwythwch y wybodaeth ar raglen megis PinPoint neu Ein Ffeithiau.
Os nad oes rhaglen o'r fath yn eich ysgol, gallwch ddefnyddio graffiau bar i gofnodi'r wybodaeth.

Mae'r daflen yn nodi ble y gellir cael gwared â gwahanol fathau o sbwriel.

Cefnogwch Ddarpariaethau Ail-gylchu yn Nwyfor

POTELI	PAPUR	DILLAD	CANIAU	OLEW	OERGELLOEDD

(P) Maes Parcio	POTELI	PAPUR	DILLAD	CANIAU	OLEW	OERGELLOEDD
Abersoch, Lôn Gwydryn (P)		●	●	●		
Mynytho (Parciau) (P)		●		●		
Nefyn, Lôn Dewi Sant (P)	●	●	●	●		
Tudweiliog				●		
Garndolbenmaen, Rhwngddwyryd Safle Mwynderau Trefol ar agor o 10.00yb-4.00yh		●		●	●	●
Pwllheli (Cei'r Gogledd) (P)	●	●	●	●		
Uned Gwasanaethau Uniongyrchol 18 Glandon, Pwllheli ar agor o 9.00yb-4.00yh, Llun-Gwener					●	

CADWCH DWYFOR YN DACLUS
Gwaredwch eich bagiau a bocsys gweigion gartref os gwelwch yn dda.

Dyma fap o ardal Dwyfor. Mae'r mannau priodol ble gellir cael gwared â sbwriel wedi eu nodi ar y map.
Gwnewch lungopi o'r map a'r daflen ailgylchu.

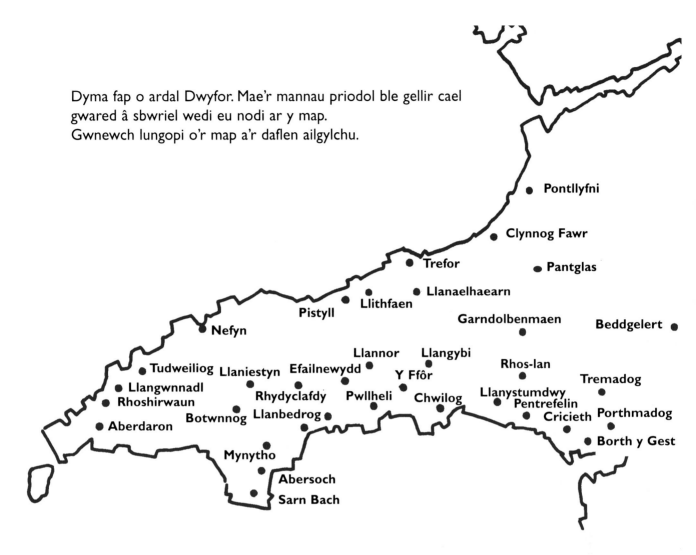

A oes unrhyw ardaloedd yn Nwyfor ble nad oes darpariaeth ailgylchu ddigonol?

Astudiwch y map ac yna ceisiwch benderfynu ble byddech chi'n gosod dau safle ychwanegol.

Nodwch y mannau hynny trwy ysgrifennu enw'r pentref neu'r dref agosaf ar y map.

Pe baech yn cadw tafarn yn Aberdaron, i ble'r aech chi i gael gwared â hen boteli?
Dangoswch y daith mewn pensil.

Pe baech yn ailgylchwr o fri, ym mha dref neu bentref yn Nwyfor y byddech chi'n dewis byw?
Nodwch y fan gyda seren.

GWAITH CARTREF - CWBL AFIACH!

Gan wisgo menig rwber, gwnewch arolwg o'r gwastraff yn eich bin sbwriel gartref. Dosbarthwch y sbwriel yn wahanol adrannau.

Gwnewch graff cylch i ddangos sut mae'r sbwriel yn ymrannu.

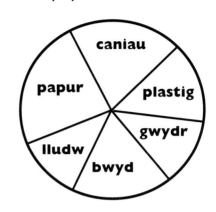

Gwnewch restr o'r holl bethau y gallech eu rhoi ar domen gompost.

Mae'n bwysig peidio â rhoi bara a chacennau ac ati ar domen gompost rhag denu llygod mawr neu lygod Ffrengig!

POSTER AILGYLCHU

Mae llawer o bobl mewn oed yn dal i daflu eu holl sbwriel i'r bin yn gwbl ddifeddwl.

Lluniwch boster deniadol i geisio perswadio pobl i ailgylchu gwastraff.

Cofiwch ddangos ar y poster pa bethau mae'n bosibl eu hailgylchu.

Dyfeisiwch slogan deniadol i berswadio pobl i ailgylchu gwastraff - rhywbeth fel:
"Peidiwch â rhoi'ch sbwriel yn y bin!" neu
"Ailgylchu yw'r ateb!"

MUNUD I'W SBARIO

Trefnwch fore sbydu sbwriel yn eich ysgol. Casglwch yr holl sbwriel sydd hyd y buarth a'r cae a gwaredwch ef mewn modd addas. Perswadiwch eich athrawon i fynd â phapur gwastraff yr ysgol i'r ganolfan ailgylchu agosaf.
Rhowch eich posteri ailgylchu i fyny ar waliau coridorau'r ysgol.

CREU CERDD
Creu Cerdd – Gam wrth Gam

Un bore aeth merch sy'n ddisgybl yn Ysgol Llangwm ati i ysgrifennu cerdd.
Yn gyntaf fe wnaeth hi gopi drafft.

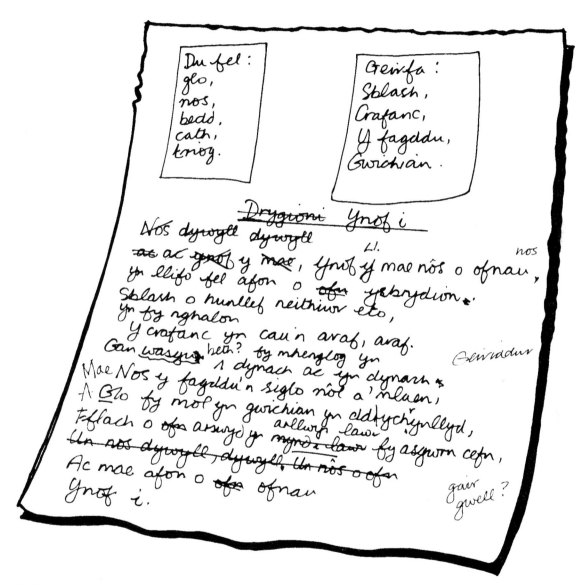

CAM 1

Edrychwch ar y gerdd.

Mae Lowri wedi newid ei meddwl ynglŷn â theitl y gerdd.

Mae Lowri wedi newid dechrau'r gerdd.

Mae Lowri wedi croesi llawer o bethau allan yn y gerdd ei hun.

Mae athro Lowri wedi gwneud awgrymiadau ar ymyl y ddalen.

Mae Lowri a'r athro wedi cytuno i newid diwedd y gerdd.

CAM 2 Pwrpas copi drafft yw cael cyfle i newid a chywiro a gwella eich gwaith. Hefyd mae'r athro yn cael cyfle i wneud awgrymiadau a chywiriadau.

Nawr edrychwch eto ar y copi drafft.
Mae Lowri wedi gwneud dau floc.

Yn y bloc cyntaf mae rhestr o bethau **du fel....**
Cymharu neu **cyffelybu** yw'r gair am ddweud fod rhywbeth **fel ....**rhywbeth arall.
Allwch chi ychwanegu at y rhestr hon?

Yn yr ail floc mae **geirfa**.
Allwch chi ychwanegu at y rhestr o eiriau a fyddai'n addas i'r gerdd?

CAM 3 Pan oedd yn fodlon ar ei chopi drafft, copïodd Lowri'r gerdd yn ei llawysgrifen orau. Darluniodd y gerdd gyda llun trawiadol.

Gwnaeth Lowri rai newidiadau terfynol cyn copïo'r gerdd.
Edrychwch ar y copi drafft ac yna ar y copi terfynol.
Allwch chi weld beth yw'r newidiadau?

Dyma'r gerdd yn ei ffurf derfynol:

Dewis pwnc/testun
Dyma rai syniadau am bynciau y gallech chi ysgrifennu cerdd amdanynt.

Bore Sadwrn
Sut deimlad yw deffro ar fore Sadwrn? Fyddwch chi'n codi'n fore?
Sut byddwch chi'n treulio'r amser? Chwarae pêl-droed, siopa, gwylio cartwnau, nofio, karate?
Fyddwch chi'n ffraeo gyda brawd neu chwaer?
Fyddwch chi'n treulio amser gydag anifail anwes?

Pan mae hi'n tywyllu. . .
Sut amser yw'r adeg rhwng dau olau?
Fyddwch chi'n mwynhau bod allan yn y gwyll? Oes rhywbeth yn codi ofn arnoch?
Sut synau fyddwch chi'n eu clywed?
Sut deimlad yw cyrraedd yn ôl gartref?

Amser cinio
Sut le sydd yn y neuadd yn ystod amser cinio?
Disgrifiwch y synau a glywch.
Disgrifiwch y bwyd. Oes aroglau arbennig yno?
Sut mae'r plant yn ymddwyn? Beth maen nhw'n ei wneud?
Sut deimlad yw mynd allan i chwarae ar ôl cinio?

DALIWCH ARNI !

Cofiwch wneud **copi drafft** yn gyntaf.
Gwnewch **restr geirfa** a **rhestr gymharu** (dweud fod rhywbeth fel . . .rhywbeth arall) ar ymyl y ddalen.
Dangoswch eich cerdd i'r athro neu i grŵp o blant a'i thrafod gyda hwy. Gwrandewch yn ofalus ar eu hawgrymiadau.
Cywirwch unrhyw wallau gramadeg neu sillafu.
Pan ydych yn barod, copïwch eich cerdd ar bapur glân yn eich llawysgrifen orau.

Gwnewch lun deniadol i addurno'ch cerdd.

Y BACHGEN A'R FODRWY HUD
Astudio Stori

Darllenwch y stori.
Ydych chi'n gwybod am ryw stori arall ble mae bachgen yn byw gyda'i fam weddw?
Sut fath o stori yw hon - stori antur, stori wyddonias, chwedl, ynteu rhyw fath arall o stori?

Mae Ieuan a'i fam yn penderfynu peidio â dymuno gyda'r fodrwy hud. Ceisiwch feddwl am ryw broblem neu amgylchiadau a allai fod wedi peri iddynt wneud dymuniad.

Mae Ieuan a'i fam yn ddigon doeth i wybod nad yw arian bob amser yn dod â hapusrwydd i bobl.
Ond beth sydd yn gwneud pobl yn hapus, tybed?
Ai'r un peth sy'n gwneud plant ac oedolion yn hapus?

Pe baech chi wedi cael y fodrwy hud yn anrheg, beth fyddech chi'n ei wneud gyda hi?
Os byddech yn gwneud dymuniad, am beth y byddech yn dymuno?

I Newidiwch deitl y stori yn "Y Ferch a'r Fodrwy Hud". Nawr ewch ati i ailysgrifennu dau baragraff cyntaf y stori gan newid Ieuan yn Iola, y fam weddw yn dad gweddw, a'r hen ddewin yn hen ddewines.

Cofiwch y bydd llawer o eiriau'n newid. Bydd *ef* yn troi'n *hi*, bydd *hen ŵr* yn troi'n *hen wraig*, a bydd rhai geiriau eraill yn newid, *wrtho* yn troi'n *wrthi*, ac *ei dŷ* yn troi'n *ei thŷ*. Bydd dechrau rhai geiriau'n newid oherwydd rheolau treiglo, er enghraifft *o'i wely* yn newid yn *o'i gwely*.

Dyma gychwyn! Un tro roedd *merch* o'r enw *Iola* yn byw gyda'i *thad gweddw* mewn pentref yn y wlad. Yn y pentref hefyd fe drigai *hen wraig* go ryfedd mewn tŷ mawr *wrthi'i* hun.

2 Ysgrifennwch stori newydd sbon am ferch o'r enw Iola sy'n cael modrwy hud arbennig yn anrheg gan hen wreigan. Ceisiwch ei gwneud yn stori gwbl wahanol i 'Y Bachgen a'r Fodrwy Hud'.

Dyma rai awgrymiadau ynglŷn â sut i greu stori wahanol i "Y Bachgen a'r Fodrwy Hud":
Gallech leoli'r stori mewn dinas, neu mewn gwlad bell.
Gallech wneud y stori'n fodern yn hytrach na stori hanesyddol.
Gallech roi diwedd trist i'r stori yn hytrach na diwedd hapus.
Gallech wneud Iola yn ferch wirion, neu'n hunanol neu annoeth.

Y Bachgen a'r Fodrwy Hud

Un tro roedd bachgen o'r enw Ieuan yn byw gyda'i fam weddw mewn pentref yn y wlad. Yn y pentref hefyd fe drigai hen ddyn go ryfedd mewn tŷ mawr wrtho'i hun. Dywedai pobl y pentref mai dewin oedd yr hen ddyn, ac oedd ar y rhan fwyaf o'r bobl ei ofn. Nid aent yn agos i'r tŷ os na fyddai rhaid, ac fe geisient beidio â'i ddigio rhag ofn y byddai'n dial arnynt mewn rhyw ffordd.

Ond rhywsut, roedd yr hen ddewin a Ieuan wedi dod yn gyfeillion, ac fe gafodd e fynd yn was i'r hen ŵr yn y tŷ mawr.

Ond ymhen tipyn fe aeth yr hen ddewin yn sâl, ac ni allai godi o'i wely. Edrychai Ieuan ar ei ôl yn dda, gan ofalu ei fod yn cael digon o fwyd ac unrhyw beth arall yr oedd arno'i eisiau. Ond gwaethygu a wnâi iechyd yr hen ŵr o hyd. Un min nos, ac yntau'n wan iawn ac ar fin marw, galwodd Ieuan i ddod i ymyl ei wely.

"Rwyt ti—a dim ond ti—wedi bod yn dda i mi," meddai, "ac rwy'i am i ti gymryd y fodrwy 'ma gen i fel tâl am dy garedigrwydd." Tynnodd fodrwy aur oddi ar ei fys tenau. "Cofia di, Ieuan, nid modrwy gyffredin mo hon. Modrwy ddymuno yw hi. Gosod hi ar dy fys, a phan fyddi di'n dymuno cael rhywbeth yn fawr iawn, fe fydd y fodrwy hud yn ei roi i ti, beth bynnag y bo. Ond cofia, dim ond un dymuniad gei di; ac yna bydd yr hud yn dod i ben."

Cymerodd Ieuan y fodrwy a'i gosod ar ei fys ei hun. Yn ystod y nos honno fe fu'r hen ddewin farw yn ei gwsg.

Aeth Ieuan yn ôl i fyw gyda'i fam wedyn. Dywedodd wrthi am y fodrwy hud a gafodd gan yr hen fachgen. Bu'r ddau'n meddwl yn hir beth i ofyn i'r fodrwy hud amdano. Gwyddent fod rhaid bod yn ofalus iawn wrth ddewis, gan mai dim ond un cyfle yn unig oedd ganddynt. Meddyliodd Ieuan am filoedd ar filoedd o arian; ond mynnai ei fam fod gormod o arian yn waeth na rhy ychydig, a dywedodd ei bod hi'n 'nabod nifer o bobl gyfoethog iawn nad oedden nhw ddim yn hapus.

Awgrymodd ei fam blasty mawr, hardd; ond wedi meddwl, ni charai Ieuan fyw yn unman gwell na'r bwthyn oedd ganddynt yn barod.

Y diwedd fu i'r ddau benderfynu gohirio'r dewis, nes byddai gwir angen rhywbeth arnynt. Nid oedd dim brys.

Un diwrnod bu raid i Ieuan fynd â neges i'r dref, a oedd yn bell o'r fan lle roedd ef a'i fam yn byw. Bu'n cerdded y strydoedd prysur ac yn edrych ar y siopau gwych gyda diddordeb mawr. Ond y siop a dynnodd fwyaf o'i sylw oedd siop berlau grand ynghanol y dref. Bu'n edrych yn ffenest honno am amser hir—edmygu'r breichledau, y modrwyau a'r pethau costus oedd i'w gweld trwy'r gwydr. Sylwodd fod rhai o'r modrwyau'n edrych yn debyg iawn i'r un oedd ganddo ar ei fys. Bu'n edrych yn y ffenest mor hir nes daeth y siopwr allan i siarad ag ef. Gofynnodd i Ieuan fynd i mewn gydag ef i'r siop i weld y pethau costus eraill oedd ganddo. Holodd a oedd yna rywbeth yr hoffai ei brynu? Dywedodd Ieuan ei fod wedi sylwi fod yna fodrwy yn y ffenest a oedd yn debyg i'w un ef. Edrychodd hwnnw'n graff arni.

"O, oes," meddai, "mae nifer o fodrwyau fel'na gennym yn y siop."

Ond ysgydwodd Ieuan ei ben pan ddywedodd hyn.

"O, na," meddai, "dydw'i ddim yn meddwl fod gennych fodrwy yn union fel hon yn y siop. Mae hon yn fodrwy hud."

"Modrwy hud? Beth wyt ti'n feddwl?" gofynnodd y siopwr.

"Os gofynnwch chi am rywbeth—unrhyw beth—a'r fodrwy 'ma ar eich bys, fe gewch eich dymuniad."

"Wel! Wel!" meddai'r hen siopwr, "Does gen i ddim un fel'na yn y siop."

Bu'r ddau yn siarad wedyn am amser hir, nes daeth hi'n amser cau'r siop am y nos. Wedi clywed fod gan Ieuan ffordd bell i deithio cyn cyrraedd adref, dywedodd y siopwr wrtho,

"Mae hi'n dechrau nosi'n barod. Ei di ddim adre heno. Fe gei di le i gysgu gen i ac fe gei di fynd adre at dy fam yn y bore."

Diolchodd Ieuan i'r siopwr. Yr oedd y nos wedi dod heb yn wybod iddo, wrth edrych o gwmpas ar ryfeddodau'r dref ac wrth siarad mor hir â'r siopwr; felly roedd e'n falch iawn o dderbyn cynnig i aros yn y dref tan y bore.

Cafodd swper gan y siopwr ac yna fe ddangoswyd iddo'i ystafell wely. Yr oedd Ieuan wedi codi'n gynnar iawn y bore hwnnw, ac yn awr fe deimlai'n bur gysglyd. Tynnodd ei ddillad oddi amdano ac i mewn ag ef yn ddiolchgar i'r gwely. Cyn cysgu fe dynnodd y fodrwy hud oddi ar ei fys a'i gosod ar y bwrdd bach yn ymyl y gwely. Aeth i gysgu wedyn bron ar unwaith.

Ond nid aeth yr hen siopwr i gysgu. Yr oedd ef yn meddwl am y fodrwy hud a fyddai'n rhoi beth bynnag a fynnai i'r un a'i gwisgai ar ei fys. Roedd e'n benderfynol o gael y fodrwy yna iddo'i hunan.

Rywle o gwmpas hanner nos pan oedd pobman yn ddistaw a Ieuan yn cysgu'n drwm, fe aeth y siopwr i mewn yn ddistaw bach i'w ystafell wely. Yr oedd ganddo fodrwy o'r siop a edrychai bron yr un ffunud ag un Ieuan. Cyn pen winc roedd e wedi cipio'r fodrwy hud oddi ar y bwrdd bach a rhoi'r un arall yn ei lle. Yna roedd e wedi mynd allan o'r ystafell mor ddistaw ag y daethai i mewn.

Yn y bore, ni sylwodd Ieuan fod y ddwy fodrwy wedi cael eu cyfnewid. Diolchodd i'r siopwr am ei garedigrwydd, ac i ffwrdd ag ef tua thre, gan feddwl yn siŵr fod y fodrwy hud ganddo o hyd.

Cyn gynted ag yr oedd Ieuan wedi mynd, aeth yr hen siopwr i lawr i'r seler fawr wag o dan y siop. Yr oedd modrwy Ieuan ar ei fys. Safodd ynghanol llawr y seler, a dymunodd! Ei ddymuniad oedd llond y seler o sofrins melyn. Fe gafodd ei ddymuniad. Mewn winc disgynnodd cawod anferth o sofrins aur ar ei ben, gan lanw'r seler, a'i ladd yntau yr un pryd.

Cyrhaeddodd Ieuan adref i dŷ ei fam heb wybod dim am hyn, ac am wythnosau wedyn bu'r ddau'n gweithio'n ddiwyd ar y tipyn bach o dir oedd yn rhan o'u tyddyn–dim ond digon o dir i gadw dwy neu dair buwch.

Un min nos dywedodd Ieuan wrth ei fam y carai gael un cae mawr arall fel y gallai gadw rhagor o wartheg. "Beth am wisgo'r fodrwy hud a dymuno cael un cae arall?" meddai wrth ei fam. Ond ysgwyd ei phen a wnaeth hi.

"Cofia mai dim ond un dymuniad sydd gennym," meddai. "Gad i ni weithio'n galed er mwyn ennill digon i brynu cae."

A dyna a fu. Fe weithiodd y ddau'n galed, galed, a chyn bo hir roedd ganddyn nhw ddigon o arian i brynu cae mawr, at y tir a oedd ganddynt yn barod.

Yna, ymhen amser, dechreuodd Ieuan feddwl yr hoffai gael fferm fwy o faint eto. Ond yn lle gwisgo'r fodrwy a dymuno cael un, fe benderfynodd ei fam ac yntau weithio'n galed i ennill digon o arian i'w phrynu. Ar ôl cael fferm fawr, roedd y ddau'n hapus ac uwchben eu digon. Erbyn hyn roedd Ieuan wedi tyfu'n ddyn ifanc cyfoethog iawn ac nid oedd angen dim arno. Felly, ddaeth e byth i wybod fod y fodrwy hud wedi cael ei dwyn gan yr hen siopwr cyfrwys yn y dref.

DYDDIADUR POCED
A DYDDIADUR DESG
Nodiadau Cryno ac Adroddiad Llawn

Dyma a ysgrifennodd Philip yn ei ddyddiadur poced.

Dydd Mawrth   26 Ebrill.

Weetabix i frecwast. Dim gwasanaeth am fod Mr. Parry yn sâl. Gweithio ar y project "Fi fy hun." Siôn yn dwyn fy rhwbiwr newydd. Sgorio dwy gôl amser cinio. Darllen "Sothach a Sglyfaelth" cyn mynd adref. Lobsgows i swper — iych!   Dad yn flin.

Dydd Mercher   27 Ebrill.

Blwyddyn 5 i gyd yn mynd i nofio. Ennill bathodyn am nofio broga — 50m. Grêt! Anwen yn taflu i fyny ar y bws. Sgrifennu stori aml-ddewis. Digon o sbort! Mam wedi gwneud teisen siocled i de. Nain yn ffonio i ddweud bod Taid yn gorfod mynd i'r ysbyty.

Mae'r dyddiadur hwn wedi'i ysgrifennu ar ffurf **nodiadau.**
Mae'r brawddegau yn gwta. Maent yn cynnwys ffeithiau ond does dim disgrifiadau.
Bydd pobl yn ysgrifennu **nodiadau** pan fo amser neu le yn brin, neu mewn **copi drafft**.

Dyma rai pethau y byddwn yn eu hysgrifennu ar ffurf nodiadau:

rhestr neges	nodiadau ymchwil
geirfa ar gyfer llunio cerdd	nodyn brysiog
nodiadau taith natur	cynllun neu ddrafft stori
cerdyn post	

Allwch chi feddwl am ragor?

Ailysgrifennodd Philip hanes Dydd Mawrth 26 Ebrill yn ei ddyddiadur desg. Doedd dim prinder lle i ysgrifennu yn hwn ac roedd gan Philip ddigonedd o amser wrth gefn.

Dydd Mawrth 26 Ebrill.

Fe ges i Weetabix i frecwast am fod y Rice Krispies yn feddal. Chawson ni ddim gwasanaeth am fod Mr Parry'r prifathro wedi cael y ffliw. Fe fuon ni'n gweithio ar y project "Fi fy hun"; buom yn mesur ein taldra a'n pwysau. Dwynodd Siôn y rhwbiwr newydd ges i yn Aberystwyth a sgriblo Man. United arno - y llarbad powld! Amser cinio fe wnes i sgorio dwy gôl ffantastig ond wnaeth Siôn ddim sgorio'r un wan jac. Fe wnaeth Mrs Pritchard ddarllen pennod olaf "Sothach a Sglyfaeth" i ni cyn mynd adref; roedd pawb wedi mwynhau y llyfr yn fawr dros ben. Fe gawsom ni lobsgows i swper ac roedd y rwdins a'r nionod yn codi pwys arna i. Pan ddwedes i hynny mi wylltiodd Dad yn gacwn a ches i ddim aros ar fy nhraed i wylio'r gêm. Annheg! Mi fydd o bob amser yn dweud fod brechdan jips a sôs coch yn afiach - be ydi'r gwahaniaeth?

EWCH ATI!

Edrychwch yn ofalus ar ddyddiadur poced Dydd Mawrth 26 Ebrill a dyddiadur desg Dydd Mawrth 26 Ebrill.

Beth sy'n wahanol? Gwnewch lungopi o'r ddau ddyddiadur, ac yna tanlinellwch ar un bopeth sy'n wahanol.
Pa un o'r ddau ddyddiadur yw'r mwyaf difyr i'w ddarllen? Pam?

Nawr, llungopïwch ddyddiadur poced Philip ar gyfer Dydd Mercher 27 Ebrill ar ddalen lân. Darllenwch y dyddiadur yn ofalus.

Cymerwch arnoch mai chi yw Philip.
Ewch ati i ysgrifennu hanes Dydd Mercher 27 Ebrill ar gyfer y dyddiadur desg.
Ysgrifennwch yr hanes yn fanwl ac yn llawn; does dim prinder amser na gofod.

Ar ôl gorffen, gallwch gymharu'r ddau a thanlinellu popeth sy'n wahanol ynddynt.

MUNUD I'W SBARIO?

Mae'r dull hwn o wneud nodiadau byr, cryno i ddechrau ac yna ailysgrifennu'n llawn yn gweithio'n dda iawn gyda **arbrawf gwyddonol.** Ysgrifennwch nodiadau taclus, cryno sy'n cynnwys yr holl wybodaeth bwysig yn ystod yr arbrawf. Yna, ar ôl gorffen y gwaith ymarferol, gallwch ysgrifennu adroddiad llawn a manwl gan ddefnyddio'r nodiadau i'ch helpu.

ARWYDDION AR WAITH
Arwyddion – eu Pwrpas a'u Heffeithiolrwydd

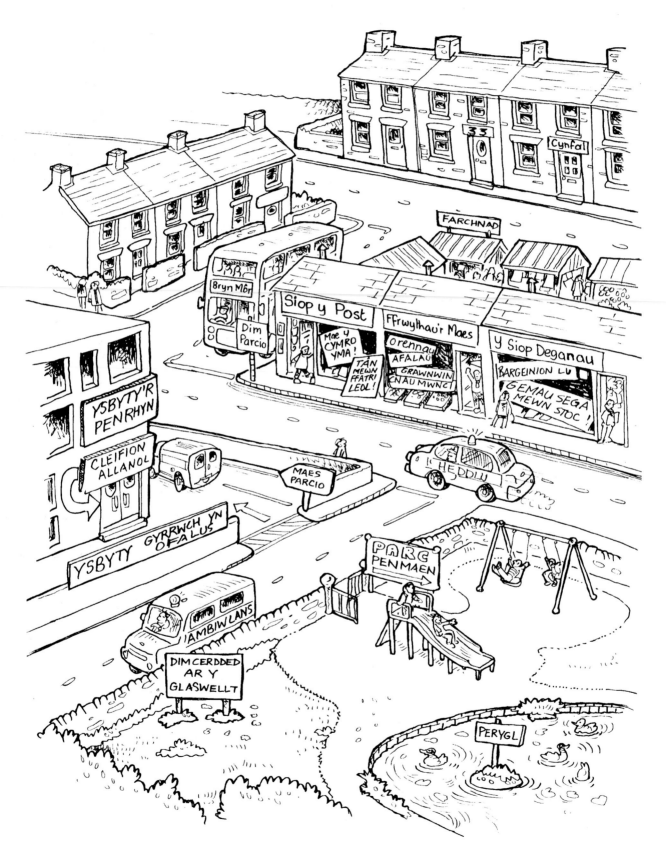

Edrychwch yn ofalus ar y llun.
Siaradwch am y gwahanol arwyddion a welir yn y llun.

Dosbarthwch yr arwyddion yn grwpiau o dan y penawdau:
Rhybuddio, Cyflwyno Gwybodaeth, Hysbysebu.

A yw'r arlunydd wedi anghofio rhoi rhai arwyddion yn y llun? Os ydyw, pa rai?

Pe bai ysgol yn y llun, pa arwyddion fyddai o flaen yr ysgol?

Dychmygwch fod siop anifeiliaid anwes a chaffi drws nesaf i'r Siop Deganau. Dewiswch enwau iddynt, a chynlluniwch eu ffenestri yn cynnwys arwyddion.

EWCH ATI!

Ewch ati gyda phartner i lunio arwyddion addas ar gyfer y mannau hyn:
traeth;
chwarel neu safle glo brig;
sŵ;
fferm.
Dewiswch un o'r pedwar uchod i wneud llun manwl ohono yn cynnwys yr arwyddion.
Ysgrifennwch yn daclus. Cofiwch gymryd gofal wrth sillafu.

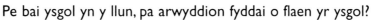

MUNUD I'W SBARIO?

Arwyddion yw enwau tai a ffermydd.
Gwnewch arolwg o enwau cartrefi plant y dosbarth neu dai yr ardal.

Chwiliwch am enwau'n adlewyrchu'r tirwedd: Ael-y-bryn; Awel-y-môr; Glan Ffrwd.
Chwiliwch am enwau o ddiddordeb hanesyddol: Cilmeri; Pengwern; Tir na nOg.
Chwiliwch am enwau wedi'u dyfeisio: Sbort y Gwynt; Helbulfa; Gongl Felys.

Oes unrhyw fath arall o enwau'n gyffredin?

ALLWCH CHI WNEUD PANED?
Llunio Cyfarwyddiadau

Mae'n bwysig gallu disgrifio proses yn fanwl ac yn gywir.
Dyma set o luniau'n dangos sut i wneud cwpanaid o de.

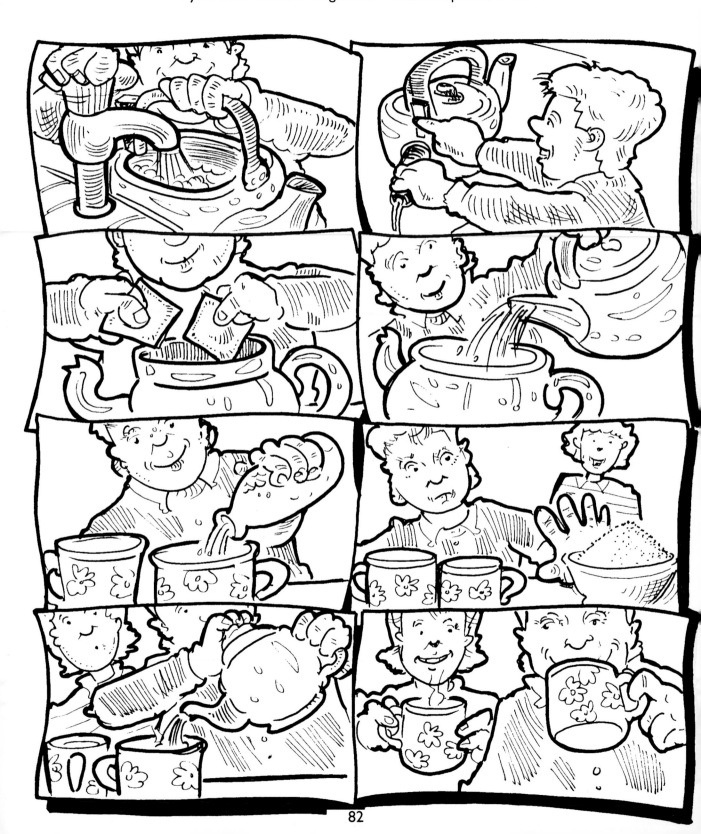

Ar ôl astudio'r lluniau'n ofalus, ewch ati i ysgrifennu'r cyfarwyddiadau.
Bydd angen brawddeg a llinell newydd ar gyfer pob cam yn y broses o wneud cwpanaid o de.

Cofiwch ysgrifennu'n syml ac yn eglur.
Cofiwch nodi'r mesuriadau'n gywir.
Cofiwch nodi'r amseroedd yn gywir.

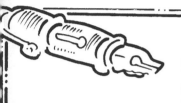

EWCH ATI! Gweithiwch gyda phartner.

Dewiswch un o'r rhestr ganlynol:
gweithio peiriant golchi dillad; gweithio peiriant fideo; gweithio camera fideo; cael cawod; gwneud crempog; reidio beic.

Trafodwch <u>nifer</u> y lluniau a'r cyfarwyddiadau cyn dechrau.
Gwahanwch ac ewch ati, un i wneud y lluniau a'r llall i ysgrifennu'r cyfarwyddiadau.
Dewch yn ôl at eich gilydd.
A yw'r lluniau a'r cyfarwyddiadau'n cyd-fynd?
Oeddech chi wedi anghofio rhyw gam pwysig yn y broses?

A fyddai'n syniad da gwneud nodiadau?

Oedd y lluniau'n ddigon eglur?
Oedd y cyfarwyddiadau ysgrifenedig yn ddigon eglur?

Newidiwch y gwaith fel bod y lluniau a'r ysgrifennu yn cyd-fynd yn berffaith.

MUNUD I'W SBARIO? FFEIRIWCH!

Os yw amser yn caniatáu gallwch ffeirio nawr.
Dewiswch bwnc newydd.
Bydd y plentyn a wnaeth y lluniau y tro cyntaf yn ysgrifennu y tro hwn, a'r sawl a ysgrifennodd y tro o'r blaen yn gwneud y lluniau.

CI CYFRWYS A THENAU
Ansoddeiriau

Gair sy'n disgrifio yw **ansoddair**.

Darllenwch y ddau bennill hyn. Rhan ydynt o gerdd o'r enw "Y Ci Strae" gan T. Llew Jones.

> **Ci cyfrwys a thenau,**
> **Ci gwyllt hyd y caeau,**
> **Heb gysgod, heb gartre,**
> **Heb fwyd er ys dyddie.**
>
> **Ci garw, ci buan**
> **Yn byw wrtho'i hunan,**
> **Ci bawlyd, ci carpiog,**
> **A'i ddannedd yn finiog.**

Mae'r gair "strae" yn y teitl yn dweud rhywbeth am y ci. Beth ydych chi'n feddwl yw ei ystyr?

Yn y ddau bennill mae *saith* ansoddair yn disgrifio'r ci. "Cyfrwys" a "tenau" yw'r ddau gyntaf. Allwch chi ddod o hyd i'r pump arall? Pa un o'r **ansoddeiriau** yw'r gorau gennych chi? Pam?

Dyma Wilbert. Mae'n wahanol iawn i'r ci strae.

Dyma gasgliad o **ansoddeiriau**. Dewiswch bump sy'n disgrifio Wilbert yn dda.

hapus, trist, tila, tew, bodlon, llwglyd, creulon, caredig, prysur, diog, moel, cyrliog, cysglyd, effro, cas, cyfeillgar, pinc.

Copïwch lun Wilbert yn eich llyfrau gwaith ac yna ysgrifennwch y **pum ansoddair** mwyaf addas o'i gwmpas.

Dyma wrach.
Wilma ydy'i henw hi.

Disgrifiwch Wilma'r wrach.
Rhowch **ansoddair** i ddisgrifio:

ei llygaid:

ei het:

ei gwisg:

ei thrwyn:

ei hewinedd:

ei hysgub:

ei chath:

Dyma grochan Wilma'r wrach. Mae hi wrthi'n paratoi melltith!

Rhowch ansoddair i ddisgrifio pob un o'r cynhwysion.

llyffant:

cynffonnau llygod:

pryfed cop (corynnod):

sudd malwod:

gwaed:

MUNUD I'W SBARIO?

Beth am ysgrifennu cerddi grŵp am Wilma'r wrach a'i swyn? Dewiswch un disgrifiad gan bob aelod o'r grŵp.

Gallech ddechrau'r gerdd gyda'r geiriau:

**Mewn ogof ddu ar gwr y goedwig
mi welais . . .**

Ar ôl i chi orffen y gerdd, copïwch hi ar lun mawr iasol o Wilma'r wrach a'i chrochan.

Gludwch y lluniau ar fur y dosbarth.

CREU NOFEL
Golwg ar Gyhoeddi

1 Cyn dechrau ysgrifennu stori neu nofel, mae'n rhaid cael **syniad**. Bydd awduron yn cael syniadau am storïau wrth fynd am dro, wrth ddarllen y papur newydd neu wylio'r teledu, wrth yrru'r car, neu yn y bath! Sut a ble y byddwch chi'n cael syniad am stori?

2 Y cam nesaf yw llunio **drafft cyntaf**. Bydd rhai awduron yn teipio'r drafft cyntaf, bydd eraill yn defnyddio beiro neu bensil i ysgrifennu pob gair. Sylwch ar y newidiadau yn y drafft cyntaf hwn: y croesi allan, y newidiadau. Ydy drafft cyntaf eich storïau chi'n edrych yn debyg i hyn?

Pennod 1

Un bore braf cychwynnodd Alffonso Jones i'r jyngl i saethu eliffantod. Roedd yn prysur wneud ei ffortiwn wrth werthu eifori ar y farchnad ddu ~~ym~~ ~~mhrifddinas India~~ ? Calcyta. ~~Roedd~~ Gwisgai ddillad heliwr a gyrrai jîp fawr grand. Roedd ganddo balas o dŷ, pwll nofio preifat a chwe ~~chaseg~~ cheffyl rasio.

Yng nghefn y jîp swatiai Alffi Jones fel llygoden. ~~Ef~~ Fo oedd mab Alffonso. ~~Ef~~ Fo hefyd oedd Cadeirydd ~~Ymgen~~ Brondinas o Gymdeithas Achub yr Eliffant.

3 Ar ôl cwblhau'r drafft cyntaf, bydd yr awdur yn mynd ati fel fflamiau i baratoi copi gorau o'i nofel neu stori. **Teipysgrif** yw'r enw ar y copi gorau hwn. Fe allwch chi baratoi **teipysgrif** ar gyfrifiadur y dosbarth.

4 Bydd yr awdur yn anfon y deipysgrif i'r wasg. Cyn hir, bydd yn derbyn **proflenni'r** llyfr. Mae'n bwysig cywiro'r rhain yn hynod ofalus gan nodi pob gwall. Gwelwch fod arwyddion arbennig i ddangos gwahanol gywiriadau.
Allwch chi weld y gwall sydd **heb** ei gywiro ar y **broflen** hon?

Un bore braf cychwynnodd Alffonso Jones i'r jyngl i saethu eliffantod.
Roedd yn prysur gwneud ei ffortiwn wrth werthu eifori ar y farchnad ddu yn Calcyta. Gwisgai ddillad heliwr a gyrrai jîp fawr grand. Roedd ganddo balas o dŷ, pwll norio preifat a chwe cheffyl rasio.

Yng nghefn y jîp swatiai Alffi Jones fel llygoden. Fo oedd mab Alffonso. Fo hefyd oedd Cadeirydd cangen Brondinas o Gymdeithas Achub yr Eiffantod.

87

5 Mae trafod y llyfr gydag arlunydd, a chomisiynu **lluniau** a **chynllun clawr** yn rhan bwysig o ddatblygiad nofel i blant. Fyddwch chi'n cael eich denu at lyfr gan glawr deniadol a lluniau trawiadol?

6 Maes o law, fe gaiff y llyfr ei **gyhoeddi**, a bydd ar gael mewn siopau ac ysgolion a llyfrgelloedd. Y teimlad gorau yn y byd i awdur yw gwybod fod plant yn mwynhau darllen ei waith.

EWCH ATI!

Ewch ati i ysgrifennu nofel neu stori ddosbarth, gan ddilyn y camau uchod. Gweithiwch mewn grwpiau.

Rhaid penderfynu sut fath o stori rydych chi am ei hysgrifennu: stori antur; stori dditectif; stori ddirgelwch; stori hanesyddol; stori wyddonias neu stori ddoniol. Allwch chi feddwl am ragor o wahanol storïau?

Gwnewch **gynllun** yn gyntaf.
Ysgrifennwch **ddrafft cyntaf** y stori neu'r nofel (gyda beiro neu bensil) yn gyntaf.
Paratowch **deipysgrif** eich stori neu'ch nofel ar gyfrifiadur y dosbarth.
Cynlluniwch **glawr** trawiadol i'ch cyfrol. Gallech ddefnyddio ffotograff neu lun wedi'i beintio.
Ysgrifennwch **froliant**, sef paragraff byr yn canmol y llyfr ac yn crybwyll beth yw'r stori.
Gludwch y **broliant** ar glawr cefn y llyfr.

Cofiwch roi enw'r **awduron** ar glawr blaen y gyfrol!

ODL? DODL!
Ymarferion gydag Odl

Ydych chi'n hoffi'r pennill yma?

Welwch chi fi?

Welwch chi fi, welwch chi fi,
Welwch chi'n dda, ga'i fenthyg ci?
Mae ci fy nhad
Wedi rhedeg y wlad;
Mae ci fy mam
Yn cerdded yn gam;
Mae ci Modryb Ann
Wedi mynd i'r llan;
Mae ci Modryb Gras
O dan y das;
Mae ci Modryb Gwen
Â chur yn ei ben;
Mae ci Modryb Puw
Yn drwm ei glyw;
Mae ci Modryb Jane
Wedi mynd yn rhy hen;
Mae ci Modryb Elin
Wedi mynd i'r felin;
Mae ci Modryb Marged
yn methu â cherdded;
Mae ci Modryb Mary
Yn sâl yn ei wely;
Mae ci Modryb Catrin
Allan ers meitin;
Mae ci Modryb Sioned
Yn methu â gweled;
Mae ci Bodo'r Post
Cyn ddalled â phost;
Mae ci tad-cu a chi mam-gu
Wedi mynd allan gyda'n ci ni;
A chi Modryb Ann Ty'n y Coed
Wedi llosgi ei droed
Mewn padell fawr o bwdin!

Traddodiadol

Mae pob pâr o linellau'n adrodd hanes un ci arbennig.
Cwpled yw'r enw ar bâr o linellau fel hyn.

Pa gwpled yw'r gorau gennych chi?

Copïwch ef yn eich llyfr.
Yna gwnewch lun i fynd gyda'r cwpled.

Craffwch ar ddiwedd y llinellau.

Mae "nh<u>ad</u>" (llinell 3) yn swnio'n debyg iawn i "wl<u>ad</u>" (llinell 4).
Mae "m<u>am</u>" (llinell 5) yn swnio'n debyg iawn i "g<u>am</u>" (llinell 6).

Mae'r geiriau'n gorffen gyda'r un **llythrennau.** Mae'r llythrennau'n gwneud yr un **sŵn** neu **sain.**
Odl yw'r gair am hyn.

Pa air sy'n odli gyda *Sioned*?
Pa air sy'n odli gyda *llan*?

Gwnewch restr o'r geiriau sy'n odli yn y gerdd.

EWCH ATI!

Rhowch gynnig ar wneud parau o eiriau
sy'n odli. Mae cliwiau i'ch helpu.

siop

trên

tŷ

tân

hadau

gwrach

coeden

môr

seidr

RHOWCH GYNNIG ARNI!

Beth am roi cynnig ar ysgrifennu cwpledi doniol eich hunan? Gallwch weithio gyda ffrind os mynnwch.

Ysgrifennwch gerdd o'r enw "Parti'r Sebra".

Mae llinell gyntaf pob cwpled wedi'i hysgrifennu'n barod ar eich cyfer:

A ddowch chi i 'mharti, os gwelwch yn dda?

.... ffa, da-da, hufen iâ

Bydd y parti am ddau, yn nhŷ Anti Neli

.... jeli, peli, teli

Bydd yno ddigonedd o sôs brown a choch

.... moch, boch, cloch

Cewch frechdan sbageti a sglodion oer iawn

.... grawn. pnawn, llawn

Bydd hufen iâ gwyrdd a thraed llygod mewn saws

.... caws, haws, naws

Cewch lowcio uwd lympiog â marmalêd glas

.... cas, asen fras, blas

Bydd y parti yn wych, felly cofiwch ddod draw

.... llaw, glaw, baw

Beth? Methu dod? Teimlo'n sâl? 'Na hen dro

.... llo, 'sbo, ar ffo

Dyma i chi grwpiau o eiriau. Tanlinellwch y geiriau sy'n odli ym mhob grŵp. Dywedwch nhw'n uchel ac fe glywch pa eiriau sy'n odli.

1 Siân   ysgol   brân   mynydd   disgo   gwir   glo   ffenest
2 hen   dannedd   ceffyl   clên   llyfr   trên   blodyn   sgert
3 afon   bachgen   pren   mafon   gwellt   Caernarfon   piano   sbectol
4 cymylau   dŵr   aderyn   cadeiriau   ffôn   rhaw   gwefusau   rubanau
5 gwyn   mur   bryn   hyn   hosan melyn   cân   llyn   llun

LLYNCU MUL GYDA DWYLO BLEWOG
Idiomau

1 Ffordd arbennig o ddweud rhywbeth yw **idiom**, ffordd ddifyr a chofiadwy.

Mae idiomau yn lliwio ein sgwrs a'n hysgrifennu.

Mae'r stori hon yn llawn o idiomau, ac mae rhyw gysylltiad rhwng y cyfan ohonynt.

Allwch chi ganfod beth ydyw?

> Aeth Morus Elis Lewis i nôl y llaeth i'r drws ac eisteddodd Dorus Elis Lewis yn disgwyl am ei the.
>
> Ond yna clywodd sgrech o ddrws y ffrynt.
>
> "Dwylo blewog!" ebychodd Morus. "Rydw i wedi cael llond bol ar hyn!"
>
> "Be sy, cariad aur?" gofynnodd Dorus gan ruthro ato.
>
> "Y Siwsi 'na wedi dwyn ein llefrith ni eto heddiw," meddai Morus yn flin.
>
> "Bratha dy dafod, Morus bach," meddai Dorus. "Fallai mai Jac Llaeth sy wedi anghofio. Mi wyddost ei fod o dros ei ben a'i glustiau mewn cariad efo'r hen geg Siop Isa 'na."
>
> "Dim peryg," atebodd Morus. "Mae Siwsi wedi dwyn pob dafn mewn gwaed oer. Y jadan!"
>
> "Twt lol..." protestiodd Dorus. "Rwyt ti'n siarad drwy dy het rŵan..."
>
> "Dwyn y llefrith rydw i'n talu amdano," mynnodd Morus, "ac wedyn cymryd y goes. Mi fydd ei chroen hi ar y pared pan gaf i afael arni."
>
> "Paid â thorri dy galon," meddai Dorus yn glên. "Mi bicia i i'r siop i nôl rhagor."
>
> "O, na," gwaeddodd Morus, "does yna'r un o dy draed di'n mynd allan o'r tŷ ma. Mi wn i am dy driciau di. Mi fyddi di wedi gwario arian y llefrith ar ddun Whiskas neu KiteKat."
>
> Y funud honno daeth cath frech lond ei chroen i'r golwg ac anelu'n syth at Dorus. Gwyrodd yr hen wraig i roi mwythau iddi.
>
> "Siwsi," meddai'n hoffus. "Bore da. Nid ti ddwynodd y llefrith, nage?"
>
> Trodd Morus ar ei sawdl a martsio'n ôl i'r gegin. "Mae ganddi fwy o feddwl o'r hen gath 'na nag ohona i," cwynodd. "Siwsi ydi cannwyll ei llygaid hi. A be ydw i? Yr hen locsyn sy'n talu am y Whiskas a'r KiteKat!"

Gwnewch lungopi o'r stori ac yna tanlinellwch bob idiom.

Faint ohonynt allech *chi* eu defnyddio mewn stori?

2 Mae pob un o'r lluniau yn y blychau isod yn darlunio idiom sy'n ymwneud â rhyw anifail neu aderyn. Cydweithiwch gyda phartner i ddyfalu beth yw'r idiomau ac yna ysgrifennwch frawddeg yn dangos beth yw ystyr pob un - **wyth** brawddeg i gyd.

Chwaraewch y gêm - "Beth yw'r idiom?" ar y bwrdd gwyn yn y dosbarth.
Bydd un plentyn yn gwneud llun i ddarlunio idiom arbennig.
Y cyntaf i ddyfalu beth yw'r idiom sy'n cael cymryd ei le.
Y plentyn gyda'r nifer mwyaf o idiomau dan ei wasgod sy'n ennill y gêm!

GWYBODAETH BWYSIG IAWN! Mae casgliad gwych iawn o idiomau yn y *Llyfr o Idiomau Cymraeg* ac *Ail Lyfr o Idiomau Cymraeg* gan R.E. Jones!
Mynnwch fod eich athro'n prynu copi o'r ddau!

Mae llawer iawn o idiomau Cymraeg sy'n ymwneud â byd ffermio, a hynny'n dyddio o'r amser pan oedd cyndeidiau llawer iawn ohonom yn byw ar y tir.
Gwnewch gasgliad o idiomau amaethyddol drwy chwilota mewn llyfrau a holi eich teuluoedd, yn enwedig eich teidiau a'ch neiniau.
Beth am wneud murlun dosbarth deniadol o'r idiomau hyn?

G SYDD AM GEIRIADUR
Defnyddio Geiriadur

Edrychwch yn ofalus ar y darn geiriadur hwn.

tiwn *eb.* cywair, miwsig

tlawd *a.* truan, gwael, sâl, llwm, anghenus

tlodi,   1. *eg.* llymder, y stad o fod yn dlawd
       2. *be.* gwneud yn dlawd

tloty *eg.* tŷ i dlodion, wyrcws

tlws   1. *eg.* gem, glain
       2. *a.* hardd, prydferth, pert, teg

to *eg.* nen, cronglwyd, peth sydd dros dop adeilad

tocio *be.* torri, tyrchu

tocyn *eg.* carden neu bapur i roi hawl; pentwr bach

toddi *be.* troi'n wlyb neu'n feddal, troi'n ddŵr, diflannu

toes *eg.* can neu flawd wedi ei gymysgu â dŵr

toi *be.* dodi to ar dŷ

tolc *eg.* plyg mewn het; ôl cnoc ar gar

tolcio *be.* achosi tolc

toll *eb.* treth (yn enwedig am ddefnyddio pont neu heol)

tolldal *eg.* tâl am ddod â nwyddau i mewn i'r wlad

tolli *be.* dodi toll

tom *eb.* tail, baw

tomen *eb.* crug, man lle rhoddir tail anifeiliaid

tôn *eb.* tiwn, cywair cân

ton *eb.* ymchwydd dŵr

tonc *eb.* cân, tinc, sŵn fel cloch fach

eb.   Ystyr hwn yw - enw benywaidd

eg.   Ystyr hwn yw - enw gwrywaidd

be.   Ystyr hwn yw - berf (gair gwneud)

a.   Ystyr hwn yw - ansoddair (gair disgrifio)

Gweithiwch gyda phartner.
Trafodwch bob cwestiwn cyn mynd ati i'w hateb ar bapur.

1 Chwiliwch am bob **berf** a gynhwysir yn y geiriadur.

2 Chwiliwch am grwpiau o eiriau sy'n perthyn i'w gilydd, ac yn rhannu'r un gwraidd neu fôn.
Dyma ddwy enghraifft: **tom, tomen**; **to, toi.**
Gwell i chi edrych ar yr ystyr yn ogystal â'r gair ei hun!

3 Yr un tair llythyren sydd yn **ton** a **tôn**, ond mae ystyr a sŵn y ddau air yn wahanol. (Mae'r ˆ yn dangos fod yr **o** yn sain hir). Allwch chi feddwl am barau eraill o eiriau tebyg?

4 Mae'r geiriau yma wedi eu gosod yn nhrefn yr wyddor. Ceisiwch feddwl am eiriau i ddod o flaen **tiwn**. Ceisiwch feddwl am eiriau i ddod ar ôl **tonc.**

5 Chwiliwch am **dri** gair sy'n gysylltiedig â cherddoriaeth.

6 Chwiliwch am yr **ansoddeiriau** sydd yn y geiriadur. nodwch y **ddau** ystyr/diffiniad gorau, yn eich barn chi.

7 Nodwch y geiriau yn y geiriadur sy'n cynnwys llythyren ddwbl (dd, ll, rh, ng, ch, ff)

EWCH ATI!

Ewch ati i lunio darn o eiriadur tebyg ar gyfer y llythyren **c**. Gallwch ddefnyddio geiriadur iawn i'ch helpu. Peidiwch â chynnwys geiriau rhy anodd a dieithr. Cofiwch nodi beth yw pob gair: berf, ansoddair neu enw.

CHWILIWCH!

Mae'r geiriau hyn i gyd yn ymwneud ag **ysgrifennu**. Gallwch eu trafod gyda'ch athro neu mewn grŵp.

Yna chwiliwch amdanynt yn y chwilair isod.

stori	cymeriad	geirfa	pensil	cerdd
teitl	enw	ansoddair	disgrifio	berf

E	L	U	B	E	R	F	W	S	M	I	A
R	I	Y	S	O	RH	G	S	T	O	R	I
A	P	G	N	M	O	M	CH	R	N	W	B
G	E	M	G	T	N	S	L	D	R	D	O
FF	N	D	TH	E	Y	T	A	H	P	FF	D
O	S	N	C	N	I	W	B	I	C	F	A
TH	I	P	R	E	T	R	Y	E	N	W	I
D	L	H	T	W	R	NG	F	M	D	I	R
C	O	CH	O	S	L	DD	W	A	E	L	E
G	R	I	A	DD	O	S	N	A	H	P	M
CH	W	G	M	Y	U	E	U	TH	U	T	Y
R	D	I	S	G	R	I	F	I	O	U	C

Y GYMRAEG YN EI DILLAD GORAU A'I DILLAD GWISGO

Cymraeg Llafar a Chymraeg Llenyddol

Haia Rhian,

Dwi'n sgwennu hwn ar gythgam o frys achos dwi ar gychwyn i helpu Mam dwtio'r ardd - boring! Dim ots am hynny rŵan eniwê. Hei, faset ti'n licio dŵad i gysgu yma nos Wenar? Cym on, tyd 'laen. Plis paid â siomi fi! Chdi di ffrind gora fi yn yr holl fyd. Mi gawn ni grêt o amsar - awn ni i'r den ac mi gawn ni chwarae'r gêm newydd 'na ges i gin Siôn Corn (!) 'Dolig! Wedyn gawn ni *midnight feast* - llwyth o greision a da-da a ballu a pop coch. Rho dincl fory i ddeud os cei di ddŵad.

Twdlw tan toc (Nos Wenar!)
Nest

Annwyl gyfeillion. Mae'n bleser cael bod yma heddiw i gael y fraint o agor Ffair Nadolig Ysgol y Ddôl. Diolch am y gwahoddiad i ddod yn ôl i'r ysgol lle bûm i mor hapus 'slawer dydd. Mae'n hyfryd cael gweld hen ffrindiau eto, a hen athrawon (ynteu, gyn athrawon?!) Beth bynnag, dyma gyhoeddi'n swyddogol fod y ffair yn agored: cofiwch wario pob dimau a pheidiwch â bwyta gormod o *mince pies*!

Heddiw, yn Llys y Goron, Caerdydd, anfonwyd Eurwyn Bachablewog Hughes i garchar am chwe blynedd. Fis Medi y llynedd, torrodd Mr Hughes i mewn i un o brif fanciau'r ddinas a chipio dros ddwy filiwn o bunnau. Roedd wedi llwyddo i ddianc rhag yr heddlu ac yn gwibio i gyfeiriad Maes Awyr Caerdydd pan redodd ei gar yn sych o betrol. Pan holwyd Mr Hughes gan y barnwr cyn ei ddyfarnu ei unig sylw oedd: "Fy nghamgymeriad mawr oedd peidio ag ymuno â'r AA."

Wy'n gwybod bod hwn yn anodd 'i gredu ond 'ma Mam a Dad a'n whâr yn dod i'r Gogledd fory, yn y car, ac i'r Steddfod i gefnogi! Gobsmacd neu beth!! Smo Dad 'di bod yn Steddfod ers o'n i yn yr Ysgol Feithrin. Er mwyn ca'l gwylie iawn, ma' nhw 'di bwcio gwesty yn agos i faes yr eisteddfod a ma' nhw'n mynd i fod 'na tan ddydd Sadwrn a wy'n ca'l dewis teithio 'nôl 'da nhw dydd Sul, neu fynd at Fam-gu annwyl.
Dim diolch, Mam-gu, leic, so diwrnod ecstra'n y Gogledd. Lyferli!

Edrychwch yn ofalus ar y pedwar darn gyferbyn.
Trafodwch mewn grwpiau o dri neu bedwar.

Mae **dau** ddarn mewn **iaith lafar** neu dafodiaith. Pa ddau?
Cliw! Mae un yn iaith y De a'r llall yn iaith y Gogledd.

Mae'r ddau ddarn arall mewn **iaith lenyddol gywir**.
Allwch chi ddyfalu pam?

Pryd mae'n addas i ddefnyddio **iaith lafar** neu **dafodiaith**?
Pryd ddylen ni ddefnyddio **iaith lenyddol gywir**?

EWCH ATI!

Rhannwch yn grwpiau trafod eto. Trafodwch pa un ai iaith **lafar/tafodiaith** ynteu i**aith lenyddol gywir** fyddai fwyaf addas ar gyfer pob un o'r rhain:

1. araith mewn eisteddfod
2. sgwrs ffôn gyda ffrind
3. llythyr at rywun mewn swydd bwysig
4. nodyn brysiog i Mam neu Dad
5. llyfr gwybodaeth
6. sgwrs mewn stori
7. dyddiadur personol
8. erthygl i gylchgrawn ysgol

ffurfiol:
swyddogol, pwysig

Rydym fel arfer yn defnyddio **iaith lafar/tafodiaith** mewn sefyllfa **anffurfiol** ac **iaith lenyddol gywir** mewn sefyllfa **ffurfiol**.

Nawr ysgrifennwch ddarn byr mewn **iaith lafar/tafodiaith**.
Gall fod yn llythyr neu ddrama fach neu ymson neu ddyddiadur neu sgwrs.

Nawr sgrifennwch ddarn byr mewn **iaith lenyddol gywir**.
Gall fod yn araith neu lythyr neu stori neu erthygl neu ddarn gwybodaeth.

Defnyddiwch **iaith lenyddol gywir** pan fo'n bwysig fod yr hyn a ddywedir neu a ysgrifennir yn ddealladwy i bawb o bob oed ym mhob cwr o Gymru. Iawn!

CERDDI PERTHNASOL
Cerddi Portread: Disgrifio Pobl

FY CHWAER

Coesau fel sbageti
Hogan dda ond weithiau'n ddrwg
Wast tenau a'i chorff yn hir
Ac mae ganddi drwyn bach smwt
Ew! Mae ei llygaid yn sgleinio fel sêr
Rargol! Mae hi yn ddel ond ddim mor ddel â fi!

Rhodri Llion Jones

TAID

Cwmwl o fwg yn melynu'r to,
Het am ei ben a 'chydig o wallt yn dangos
Fel nyth brân!
Ffon ym mwt y car o hyd.

Rhywbeth i'w ddweud bob amser,
Radio 'mlaen trwy'r dydd,
Teledu'n gweiddi fel babi yn sgrechian.
Picio i'r siop bob hyn a hyn.

Yfed wisgi fel Santa Clôs!
Gwneud yn siŵr fod pawb yn bwyta,
Bol fel balŵn.
Tuchan yn y toiled!

Cwmni'n cilio
Ffrindiau'n ffarwelio,
Diwrnodau'n pasio'n araf.

Hel atgofion
Fel tâp fidio'n cael ei droi yn ôl.
Cofio gwraig fu farw'n ifanc.
Cofio merch fu farw'n iau.

Dagrau'n diflannu'n araf
Gwên fel yr haul,
Yn mynd tu ôl i gwmwl weithiau
Ond yn gwthio'i ffordd yn ôl.

Manon Elis

FY MRAWD BACH

Y peth sydd yn gweiddi am ei frecwast yn y bore,
Y peth sydd yn achosi reiat wrth ymladd gyda'i frawd,
Y peth sydd yn crio fel geto blaster ar foliwm llawn,
Y peth sydd yn crio a neidio arnaf pan wyf i'n cysgu yn y gwely,
Y peth sy'n taflu ei fwyd os nad yw'n cael ei ffordd.

Ond pan mae'n amser gwely, mae'n rhaid rhoi seren aur iddo,
Achos mae fel y bedd pan mae'n cysgu.

Rhys Bidder

Dyma dair cerdd a ysgrifennwyd gan blant am bobl sy'n perthyn iddynt.

Mae'r plant wedi ysgrifennu am bobl y maent yn eu hadnabod yn dda iawn.
Maent yn rhoi disgrifiadau corfforol manwl a chofiadwy.
Sylwch ar y disgrifiad "coesau fel sbageti" yn "Fy Chwaer".
Sylwch ar y disgrifiad o'r crio "fel geto blaster ar foliwm llawn" yn "Fy Mrawd Bach".
Sylwch ar y disgrifiad o taid: "Bol fel balŵn/Tuchan yn y toiled" yn "Taid".

Llungopïwch y tair cerdd.
Gweithiwch gyda phartner. Ewch ati i danlinellu pob **disgrifiad corfforol** a geir yn y cerddi.

Mae'r disgrifiadau hyn yn gwneud y cerddi'n wir ac yn arbennig.

Ceir **disgrifiadau o gymeriad** yn y cerddi hefyd.
Mae'r disgrifiadau hyn yn dweud **sut rai yw y rhai a ddisgrifir** yn y cerddi.

Yn "Fy Chwaer" dywed Rhodri: "Hogan dda ond weithiau'n ddrwg".
Yn "Fy Mrawd Bach" dywed Rhys: "Y peth sy'n taflu ei fwyd os nad yw'n cael ei ffordd".
Yn "Taid" dywed Manon: "Rhywbeth i'w ddweud bob amser".

Allwch chi weld rhagor o **ddisgrifiadau o gymeriad** yn y cerddi?
Chwiliwch amdanynt gyda chymorth eich athrawes.

EWCH ATI!
Dewiswch berson yr ydych yn ei adnabod yn dda.
Disgrifiwch y person o ran golwg: corff, wyneb, llygaid, cerddediad, gwallt ac ati.
Disgrifiwch gymeriad y person: arferion, diddordebau, natur (llawen, digalon, llawn sbort?).
Meddyliwch am rai pethau sy'n eich atgoffa o'r person: arogleuon arbennig? cân neu ffilm? hoff le? sŵn neu gerddoriaeth? amser arbennig o'r dydd? rhyw fwyd neu ddiod?

Casglwch y disgrifiadau ynghyd dan ambarel eich cerdd.
Gallwch gloi drwy ddweud sut rydych chi'n teimlo tuag at y person rydych chi wedi'i ddisgrifio.

ARBRAWF GYDA HALEN A GWYDR
Ysgrifennu am Arbrawf Gwyddonol

Y BROBLEM

Mae pot halen wedi torri.
Mae'r halen wedi'i gymysgu gyda'r gwydr.
Sut mae cael y gwydr allan o'r halen?

OFFER

Pot halen wedi torri, halen, ffon gymysgu, papur hidlo, dŵr, sosban, stôf.

DULL

Cam 1

Gosodwch y gwydr a'r halen mewn dŵr poeth ac yna trowch y cymysgedd.
Bydd yr halen yn toddi yn y dŵr, a byddwch yn gallu gweld y gwydr.

Cam 2

Arllwyswch y dŵr halen a'r gwydr ar ben papur hidlo. Bydd y gwydr yn aros ar y papur hidlo a bydd y toddiant halen yn mynd trwyddo.

Cam 3

Arllwyswch y toddiant halen i sosban. Berwch yr hylif. Bydd y dŵr yn anweddu gan adael yr halen ar waelod y sosban.

> **GEIRFA**
> arllwys - tywallt
> hylif - trwyth gwlyb sy'n llifo
> toddiant - hylif â rhyw ddeunydd wedi toddi ynddo

Hannah Vesper (10 oed)

EWCH ATI!

Rhowch gynnig ar gynnal a chofnodi arbrawf gwyddonol tebyg.

Dilynwch y patrwm a osodir uchod yn fanwl, gam wrth gam.

Defnyddiwch iaith syml ac eglur.

Ysgrifennwch mewn brawddegau byrion.

Y BROBLEM:

Aiff plant eich dosbarth am bicnic i lan y môr.
Yn anffodus, mae'r siwgr yn syrthio i'r tywod.
Sut mae cael y siwgr allan o'r tywod?

Dilynwch yr un patrwm yn union â'r arbrawf cyntaf.
Cofnodwch yr arbrawf fesul cam.
Gwnewch luniau mewn pensil i gyd-fynd â phob cam.

Gwnewch **nodiadau drafft** tra ydych yn rhoi cynnig ar yr arbrawf.
Yna gwnewch **gopi terfynol** yn eich llawysgrifen orau.

HEI!
**Gair o gyngor!
Peidiwch â rhoi gormod o
wres dan y sosban yn Cam 3.**

AMSER Y FERF
Gorffennol a Phresennol

Geiriau sy'n disgrifio beth sy'n digwydd yw **berfau**: prynu, llyfu, neidio, gwenu, torri, trwsio.

Mae **berfau** sy'n dweud beth sy'n digwydd **nawr** yn y **presennol**.

Mae **berfau** sy'n dweud beth a ddigwyddodd rywbryd **cyn nawr** (y bore yma, ddoe, neithiwr, y mis diwethaf, y llynedd, gan mlynedd yn ôl a.y.y.b.) yn y **gorffennol.**

Darllenwch y dyddiadur hwn. Mae yn y presennol.

Gwyliau, myn brain i! <u>Rwy'n eistedd</u> ar fy ngwely'n teimlo'n ddigalon sobor. <u>Mae'n arllwys</u> y glaw, ac <u>mi wn</u> yn iawn na <u>chawn</u> ni ddim mynd i'r parc saffari wedi'r cyfan, a <u>chaiff</u> Jac a Llio ddim barbeciw yma heno chwaith, <u>rwy'n siŵr</u>. <u>Dydi</u> bywyd ddim yn deg. <u>Rwy'n difaru</u> gadael Wrecsam a Dad a Mam am awr, heb sôn am fis. <u>Fetia i</u> mai tatws a grefi <u>gaf</u> i i ginio eto heddiw! Iyc! <u>Oes</u> yna rywun allan yn fan'na <u>eisiau prynu</u> nain am bris rhesymol iawn?

Darllenwch y darn ffeithiol hwn. Mae yn y presennol.

Y teigr <u>ydy'r</u> gath fwyaf.
Mae'r rhesi tywyll ar ei gorff <u>yn</u> ei <u>helpu</u> i <u>guddio</u> yn y gwellt.
Y llew! <u>Dyma</u> i chi gath fawr.
<u>Gall</u> tshita <u>redeg</u> yn gyflym, gyflym.
<u>Bydd</u> llewpart <u>yn</u> <u>dringo</u> coed ac <u>yn</u> <u>neidio</u> i lawr ar anifeiliaid eraill i'w dal.
<u>Does</u> dim llawer o gathod mawr ar ôl bellach. <u>Mae</u> rhai <u>yn</u> <u>byw</u> mewn parc saffari ac eraill mewn sŵ. <u>Fe ellwch</u> chi eu gweld yno.

Nawr darllenwch y stori fach hon. Mae yn y gorffennol.

<u>Cerddodd</u> plant ein dosbarth ar hyd y llwybr uwchben y môr. <u>Sylwais</u> ar wylanod yn hedfan yn braf yn yr awyr gynnes, a <u>chlywais</u> sŵn plant ar y traeth islaw.
Yn y pellter <u>canodd</u> cloch yr ysgol leol a <u>chwarddodd</u> pawb ohonom yn hapus. Ar ôl cinio <u>gwelsom</u> forloi yn torheulo ar y creigiau, a <u>chawsom</u> gyfle i gasglu gwymon a chregyn ar gyfer ein project.
<u>Bwyteais</u> swper anferth y noson honno ac wrth ei lowcio <u>cofiais</u> rywbeth a <u>wnaeth</u> i mi dagu ar y jeli. <u>Bûm</u> yn ferch esgeulus iawn. <u>Anghofiais</u> fy mocs picnic a'm camera ar y bws!

1 Edrychwch ar y dyddiadur. Rhestrwch y berfau sydd wedi'u tanlinellu. Maent i gyd yn y **presennol**.

2 Edrychwch ar y darn gwybodaeth. Rhestrwch y berfau sydd wedi'u tanlinellu. Maent i gyd yn y **presennol**.

3 Edrychwch ar y stori. Rhestrwch y berfau sydd wedi'u tanlinellu. Maent i gyd yn y **gorffennol**.

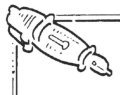

EWCH ATI!

Ysgrifennwch ddyddiadur byr yn y presennol. Dechreuwch gyda:
Mae..... neu **Rydw i.......**
Ysgrifennwch ddarn gwybodaeth byr yn y presennol. Testun y darn fydd "Teithio".
Ysgrifennwch stori fer iawn yn y gorffennol. Dechreuwch gyda:
Canodd y ffôn dros y tŷ. Roedd hi'n ganol nos. Neidiodd Eirian o'r gwely fel jac y jwmper.....

Darllenwch y brawddegau hyn.
A ydynt yn y presennol ynteu'r gorffennol?

Gofynnwch y cwestiwn:
A yw hyn yn digwydd nawr (**presennol**) neu a ydyw wedi gorffen digwydd (**gorffennol**)?

1　Nid oes teledu lloeren yn ein tŷ ni.
2　Prynodd Sioned werth dwy bunt o losin yn Woolworth.
3　Mae hi'n rhewi'n gorn yn Inverness heno.
4　Cerddai llawer o blant i'r ysgol erstalwm.
5　Cefais stŵr mawr gan Miss Elis am siarad yn y gwasanaeth ddoe.
6　Mi hoffwn fod yn bêl-droediwr proffesiynol ryw ddydd.
7　Gwelodd fy nain Lloyd George yn 1934.
8　Rwy'n gobeithio cael esgidiau sglefrio ar fy mhen blwydd.
9　Caraf fy nghath gyda'm holl galon.
10　Aeth dosbarth Mr Huws i ymweld â Sain Ffagan ddydd Llun diwethaf.

CYNGERDD A DAWNS A DISGO
Posteri

Astudiwch y posteri isod yn ofalus:

Beth yw eich barn am y poster hwn?
Gwnewch restr o'r pethau da a'r pethau gwael ynglŷn â'r poster.

> Nos Fercher, 18 Mehefin
> yn Neuadd Bentref Tan-y-Fron
> CYNHELIR
> Cyngerdd a Stondin Deisennau
> yn dechrau am 7.30.yh.
> Bydd Elsi a Defi yn canu gyda chrempogau.
> Croeso i Bawb.
> Yr elw at Gymdeithas y Cathod Trist.

> Dewch i
> **GIG GARMON!**
> YN NEUADD GYMUNED BRYNEITHIN
> NOS FERCHAR NESAF
> PRIS TOCUN — £2.00.
> GWOBR o £20 IR DAWNSIWR GOREU
> CREISION A SYDD OREN AR WERTH

Beth yw eich barn am y poster hwn?
Oes rhywbeth yn anghywir yma?
Oes rhyw wybodaeth bwysig heb ei chynnwys?

Nawr craffwch ar y poster hwn.

Ydych chi'n hoffi'r cyfuniad o lythrennau mawr a llythrennau bach?
Beth yw eich barn am ddiwyg y poster?

Craffwch ar y deunydd o iaith.
Beth sy'n tynnu'ch sylw?

> ARWERTHIANT LLestri
> Bargains Galore!
> YN
> CHURCH HALL, PENHELYG,
> 3 Dec 2-6 p.m.
> Anrhegion Nadolig i'r teulu oll
> DON'T MISS IT!

CANLLAWIAU HANFODOL I GYNLLUNWYR POSTERI.....

Gweithiwch mewn grwpiau.
Lluniwch restr o'r pethau pwysig i'w cofio wrth lunio poster.
Ysgrifennwch y pwyntiau yn nhrefn eu pwysigrwydd.

Ar ôl i chi orffen, cymharwch eich rhestr gyda rhestri'r grwpiau eraill.

Ydy pob grŵp wedi cynnwys yr un pwyntiau?
Ydyn nhw yn yr un drefn?

EWCH ATI!

Ewch ati i lunio poster ar gyfer un o'r canlynol:

eisteddfod   **barbeciw**   **mabolgampau**
pantomeim   **disgo**

Cofiwch wneud eich poster mor ddeniadol ag y gallwch!
Cofiwch gynnwys y ffeithiau a'r manylion pwysig!
Cofiwch sicrhau fod yr iaith yn gywir a'r ysgrifen yn glir.

MUNUD I'W SBARIO?

Pan fyddwch yn mynd i'r dref neu'r pentref, sylwch ar y posteri mewn ffenestri siopau. Pa rai yw'r rhai mwyaf atyniadol ac effeithiol?

Rhowch wahoddiad i blant y dosbarth drws nesaf ddod i weld eich posteri chi. Pa rai sy'n plesio orau?

AI DYMA'R SWYDD I CHI?
Llunio Holiadur Gwaith a'i Lenwi

FFEIL-WAITH: **EMYR DAVIES** SYLWEBYDD PÊL-DROED

Disgrifiad:
Sylwebu ar gemau pêl-droed ledled Ewrop. Ymchwilio i hanes tua 140 o wahanol glybiau. Gwylio tapiau o gemau pêl-droed drwy'r dydd, bob dydd.

Oriau:
Oriau swyddfa yn ystod yr wythnos (9 y.b. - 5 y.h.) oni bai ein bod yn paratoi rhaglen i'w darlledu (8 y.b. - 10 y.h.). Gweithio ar y penwythnos hefyd - llawer iawn o gemau ar y Sadwrn a'r Sul.

Cymwysterau:
Diddordeb aruthrol mewn pêl-droed! Angen gallu i feddwl yn chwim, a disgrifio mewn ffordd fywiog a diddorol. Mae angen Cymraeg llafar da hefyd!

Hyfforddiant:
Does dim hyfforddiant penodol ar gyfer gwaith fel hyn. Fe ddechreuais i yn y gwaelod fel is-reolwr llawr gyda'r BBC, gweithio'n galed, a chael tipyn bach o lwc, pan gynigiodd rhywun roi cyfle i mi o flaen y camera.

Uchafbwyntiau:
Cwrdd â rhai o bêl-droedwyr gorau'r byd. Gweld y tîmau gorau ar eu gorau mewn gemau cyffrous. Bod yng nghwmni cefnogwyr o'r iawn ryw.

Iselbwyntiau:
Eistedd am oriau diddiwedd mewn meysydd awyr diflas ar hyd a lled y byd.

Diwrnod Nodweddiadol o Waith

09:15 - 16:00	Gyrru i Fanceinion a hedfan i Barcelona. Trên i'r gwesty.
17:00 - 18:00	Paratoi nodiadau ar garfannau'r ddau dîm - ysgrifennu a dysgu darnau i'r camera. Astudio'r papur newydd.
18:00 - 21:00	Cwrdd â'r criw ffilmio. Cyrraedd stadiwm Nou Camp. Derbyn y daflen swyddogol gyda rhestr o'r chwaraewyr, a chwblhau'r nodiadau cefndir.
21:00 - 22:50	Gwylio'r gêm, a sylwebu arni!
23:00 - 00:30	Mynd i ystafell y wasg i gyfweld y chwaraewyr a'r hyfforddwyr. Swper sydyn.
00:30	'Nôl i'r gwesty am ychydig oriau o gwsg cyn hedfan adref.

FFEIL-WAITH: **DR BARBARA A. HUGHES** MEDDYG TEULU

Disgrifiad:
Un o dîm o bedwar meddyg teulu mewn practis yn nhref Llangefni yn Sir Fôn.

Oriau:
Hir! Rhaid i mi a'm cyd-feddygon fod ar gael i'n cleifion mewn achosion o argyfwng 24 awr y dydd, 365 dydd y flwyddyn. Rwyf i'n gweithio'n llawn amser, ond mae modd gweithio'n rhan amser - er enghraifft os ydych yn ferch ac am gyfuno gyrfa a magu teulu.

Cymwysterau/Hyfforddiant:
Gweithio'n galed yn yr ysgol a chael tair lefel 'A' ragorol - mewn pynciau gwyddonol. Yna cwrs gradd pum mlynedd mewn prifysgol, a blwyddyn mewn ysbyty cyn cofrestru. Mae cyfnod o hyfforddiant arbennig ychwanegol i unrhyw un sydd am fod yn feddyg teulu.

Uchafbwyntiau:
Digon o amrywiaeth mewn diwrnod gwaith. Caf y cyfle i ddod i adnabod teuluoedd cyfan yn dda - o'r babi lleiaf hyd at y nain hynaf! Byddaf wrth fy modd pan fydd pobl yn diolch i mi am wneud iddynt deimlo'n well.

Iselbwyntiau:
Teimlo'n flinedig iawn. Ac ambell waith, gorfod dweud wrth bobl na allaf i mo'u gwella.

Diwrnod Nodweddiadol o Waith

Amser	Gwaith
08:45 - 9:00	Agor llythyrau. Ateb y ffôn.
09:00 - 12:00	Meddygfa (syrjeri).
12:00 - 12:30	Gwaith papur (llenwi ffurflenni, ysgrifennu llythyrau ac ati).
12:30 - 13:00	Cyfarfod gyda meddygon a staff y practis dros ginio.
13:30 - 15:30	Clinig Babanod neu ymweld â chleifion yn eu cartrefi.
15:30 - 18:30	Meddygfa eto.
18:30	Adref, i wneud swper i'r teulu!

EWCH ATI!

Ewch ati i baratoi ffeil-waith ar batrwm ffeiliau Emyr Davies a Dr Barbara A. Hughes.

Lluniwch sgerbwd o ffeil yn gyntaf.

Enw'r person a'i swydd

Disgrifiad:

Oriau:

Cymwysterau/Hyfforddiant:

Uchafbwyntiau:

Iselbwyntiau:

Diwrnod Nodweddiadol o Waith:

Y DEWIS YW .....

Gallech lenwi'r **ffeil-waith** trwy holi rhywun yr ydych yn ei adnabod: rhiant, siopwraig, postmon, gyrrwr lori, deintydd, ffermwr, cemegydd, athrawes, nyrs, gof, cyfreithiwr, glanhawr ac ati.. .
Mae'n siŵr y gallwch ychwanegu llawer iawn o swyddi at y rhestr hon. Ceisiwch ddewis swyddi diddorol.

Gallech lenwi'r **ffeil-waith** trwy holi person sy'n gwneud y swydd yr hoffech chi'i gwneud ryw ddydd. Bydd rhaid i chi ysgrifennu llythyr neu holi'r person ar dâp. Efallai y bydd rhaid i chi wneud ymchwil yn y llyfrgell hefyd.

1. Gludwch lun o'r person ar frig y ffeil-waith.
2. Sicrhewch eich bod wedi sillafu enw'r person yn gywir.
3. Sicrhewch fod pob un o'r ffeithiau yn y **ffeil-waith** yn gwbl gywir.
4. Peidiwch ag ysgrifennu gormod. Ceisiwch wneud y **ffeil-waith** yn gryno ac yn ddiddorol.